영재
사고력수학
필즈

입문 중

CONTENTS

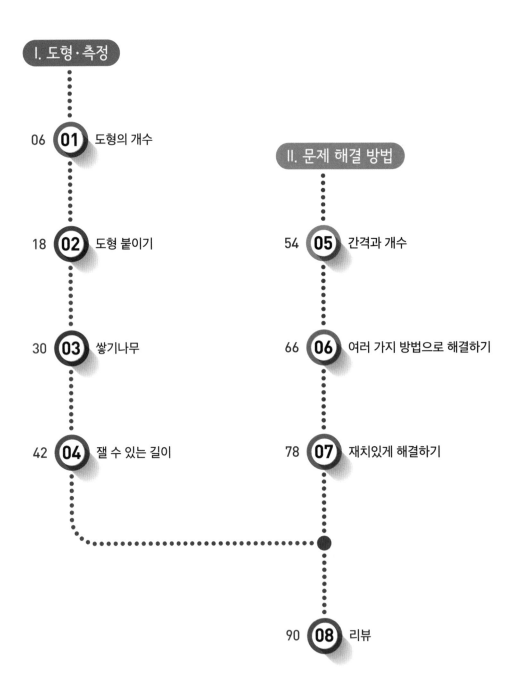

서문

이 책을 공부하게 될 친구들에게

저자는 영재교육원 관찰추천제를 대비하기 위한 <필즈수학> 시리즈를 출판하였고, 창의적 문제해결력을 기르고, 영재교육원 대비에 도움이 될 수 있도록 관찰추천제 가이드북을 제시하였습니다.

<필즈수학> 시리즈는 수학에 대한 호기심이 있는 학생들이라면 도전해 보고 싶은 주제들로 구성되어 있고, 교재의 수준과 깊이에서 일정 수준 이상의 개념과 수학적 경험을 갖춘 학생들이라면 접근해 볼 수 있는 면이 있어 영재교육원을 준비하지 않더라도 상위권 학생들을 중심으로 꾸준한 사랑을 받고 있습니다.

이러한 이유로 많은 학생들과 학부모들이 기존 <필즈수학> 시리즈로 공부할 수 있는 학생들보다 좀 더 어린 학생들을 대상으로 하는 교재의 출판을 바라왔습니다. 이러한 요구를 반영해 수와 연산, 패턴, 도형, 측정, 문제 해결 방법 등을 주제로 하는 유년기 또는 초등 저학년 학생들을 위한 <필즈입문> 시리즈를 내놓게 되었습니다.

수학은 위계의 학문입니다. 하위 개념에 대한 정확한 이해 없이 상위 개념을 접하게 되면 언제든지 무너질 수 있는 학문이라는 뜻입니다. 이 문제는 유사 문항을 단순 반복하여 여러 번 풀어본다고 해결되지 않으며, 무의미한 반복과 과도한 학습량은 오히려 수학에 대한 흥미를 떨어뜨려 수학 공부에 방해가 될 수 있습니다. 또한, 수학적 사고력은 개념 ➡ 기본 ➡ 응용 ➡ 심화와 같이 선형적으로 발전하지도 않습니다. 스스로 부딪쳐서 해결하는 과정에서 개념을 더 완벽히 이해할 수 있고, 깊이 있는 문제를 접하며 논리적 도약을 이뤄낼 수 있을 때 수학적 사고력이 발전하는 것입니다. 수학은 많은 학부모들이 오해하듯이 '선천적 재능을 타고나야 잘할 수 있는 과목'이 아닙니다. 아이들에게 환경과 기회를 어떻게 제공했는지에 따라 아이들의 수학 실력은 달라질 수 있습니다.

<필즈 입문> 시리즈는 유년기와 초등 저학년 학생들이 무엇을 가지고 어떻게 수학을 시작해야 하는지를 제시하고, 수학적 사고력을 길러 상위 개념으로, 다음 과정으로 진입할 수 있게 하는 마중물이 될 것입니다.

강신흥

이 책의 구성과 특징

유형 제시

어떤 문제를 공부하게 될까?

단원의 대표적인 사고력 문제 유형을 아이들의 대화를 통해 딱딱하지 않게 제시함으로써 학생들이 좀 더 재미있고 쉽게 이해할 수 있도록 도와줍니다.

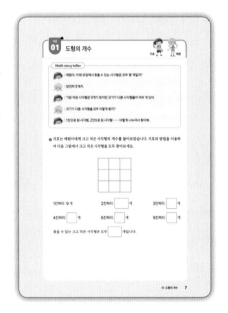

대표 문제

문제를 어떻게 접근해야 할까?

문제 해결의 핵심을 알려줌으로써 어려워 보이는 문제를 편하게 접근할 수 있는 친절한 선생님의 역할을 합니다.

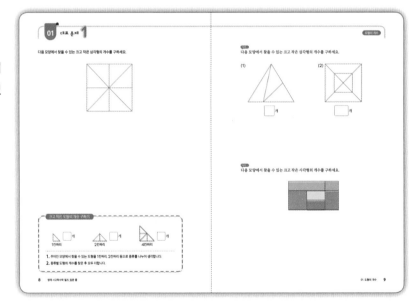

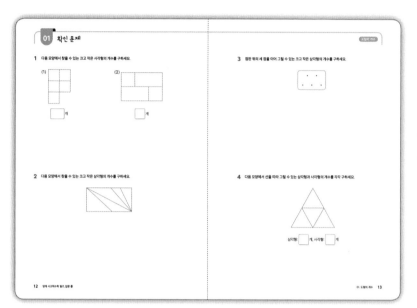

확인 문제

혼자서 해결하자!

유형 제시와 대표 문제에서 만난 문제들
이 다양한 형태로 변형되어 나옵니다.
변형된 여러 문제들을 학생이 혼자 해결
해봄으로써 해당 문제 유형의 이해를 높
입니다.

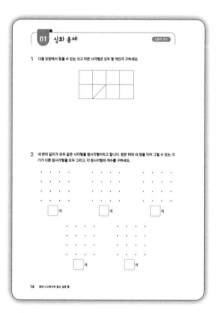

심화 문제

실력을 높이자!

기존 학습 문항들보다 난이도가 높은 문항
에 도전하고 해결하는 과정에서 학생의 과
제집착력을 기르고, 성취감을 맛볼 수 있게
합니다.

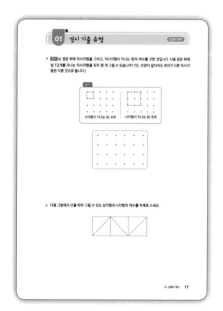

경시 기출 유형

도전!!

기존 경시대회 문제들과 유사한 형태의 문
제를 해결하는 과정에서 다양한 각도에서
문제를 접근하고 수학적 해결 전략을 구사
하는 능력을 향상시킵니다.

영재사고력수학 **필즈** 로드맵

예비 초등학생과
초등학교 저학년을 위한 **[필즈수학] 시리즈**

교재	예비 초등학생, 초등학교 1학년을 위한 **킨더**	초등학교 1, 2학년을 위한 **베이직**	초등학교 2, 3학년을 위한 **입문**
상	모으기와 가르기	고대의 수	마방진
	덧셈식과 뺄셈식	수와 숫자	조건에 맞는 수
	목표수 만들기	카드로 만든 수	복면산과 도형이 나타내는 수
	줄서기	수 퍼즐	곱셈구구
	모양 패턴	여러 가지 패턴	수열
	증감 패턴	이중패턴과 □번째 모양	수 배열의 규칙
	수 배열표	유비추론	도형 패턴
중	전체와 부분	색종이 접고 자르기	도형의 개수
	모양 겹치기	도형의 연결	도형 붙이기
	길이와 들이 비교	길이 비교	쌓기나무
	달력	무게 비교	잴 수 있는 길이
	선 잇기 퍼즐	포함 관계	간격과 개수
	이동 경로	님 게임	여러 가지 방법으로 해결하기
	가위바위보	동전과 성냥개비	재치있게 해결하기
하	□가 있는 식	성냥개비 연산	어떤 수 구하기1
	가로세로 수 퍼즐	홀수와 짝수	연속수의 합
	주고 받기	연산 퍼즐	수 만들기
	연산 규칙	약속 연산	어떤 수 구하기2
	속성	표와 그래프	길의 가짓수
	위치와 순서	가능성	리그와 토너먼트
	색칠하기	방법의 가짓수	논리 추리

초등학교 고학년을 위한 [필즈수학] 시리즈

교재	초등학교 3, 4학년을 위한 초급	초등학교 4, 5학년을 위한 중급	초등학교 5, 6학년을 위한 고급
상	연속수	대칭수	연속수의 성질
	숫자 카드	수와 숫자의 개수	수와 숫자의 합
	가장 큰 곱 만들기	연속수의 합으로 나타내기	배수판정법
	도형이 나타내는 수	포포즈	약수의 개수
	벌레 먹은 셈	크기가 같은 분수	끝수와 0의 개수
	숫자의 개수	복면산	수와 식 만들기
	마방진	여러 가지 마방진	진법 활용
	도형 붙이기	도형 나누기와 맞추기	타일 붙이기
	주사위	도형의 개수	직육면체
	거울에 비친 모양	점을 이어 만든 도형의 개수	입체도형
	원	정육면체	쌓기나무
	가로수와 통나무	나이	뉴튼산
	가정하여 풀기	포함과 배제	거꾸로 생각하기
	저울을 이용하여 풀기	나머지	작업 능률
	재치있게 풀기	속력	극단적으로 생각하기
하	쌓기나무	붙여 만든 도형의 둘레	단위넓이의 활용
	덮기와 넓이	달력	겹쳐진 부분의 넓이
	색종이 자르기와 접기	평행과 도형의 내각	도형의 둘레와 넓이
	눈금없는 길이와 무게	바닥깔기	등적 분활
	모래시계	접기와 각	삼각형을 이용한 각도 구하기
	도형 유추	시계와 각	고장난 시계
	패턴	규칙 찾아 도형의 개수 세기	피보나치 수열
	간단한 수열	교점과 영역의 개수	여러 가지 수열의 활용
	간단한 규칙 찾기	수의 배열의 규칙	복잡한 규칙
	규칙 찾아 간단하게 계산하기	약속	그래프 읽기
	리그와 토너먼트	지불할 수 없는 동전	색칠하기
	최단거리	무게가 다른 근화 찾기	여러 가지 경우의 수
	논리 추리	연역적 논리	입체에서의 최단거리
	한붓그리기	비둘기 집	홀수 짝수
	성냥개비	님 게임	참말족과 거짓말족

01

도형의 개수

Math story teller

: 예원아, 아래 모양에서 찾을 수 있는 사각형은 모두 몇 개일까?

: 당연히 9개지.

: 가장 작은 사각형은 9개가 맞지만 크기가 다른 사각형들이 여러 개 있어.

: 크기가 다른 사각형을 모두 어떻게 찾지?

: 1칸으로 된 사각형, 2칸으로 된 사각형 …… 이렇게 나누어서 찾아봐.

● 지호는 예원이에게 크고 작은 사각형의 개수를 물어보았습니다. 지호의 방법을 이용하여 다음 그림에서 크고 작은 사각형을 모두 찾아보세요.

1칸짜리: 9 개   2칸짜리: ☐ 개   3칸짜리: ☐ 개

4칸짜리: ☐ 개   6칸짜리: ☐ 개   9칸짜리: ☐ 개

찾을 수 있는 크고 작은 사각형은 모두 ☐ 개입니다.

다음 모양에서 찾을 수 있는 크고 작은 삼각형의 개수를 구하세요.

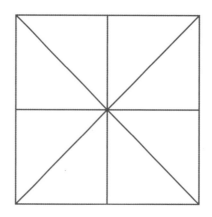

크고 작은 도형의 개수 구하기

 ☐개

1칸짜리

 ☐개

2칸짜리

☐개

4칸짜리

1. 주어진 모양에서 찾을 수 있는 도형을 1칸짜리, 2칸짜리 등으로 종류를 나누어 생각합니다.

2. 종류별 도형의 개수를 찾은 후 모두 더합니다.

예제 1

다음 모양에서 찾을 수 있는 크고 작은 삼각형의 개수를 구하세요.

(1)

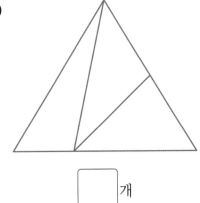

⬜개

(2)

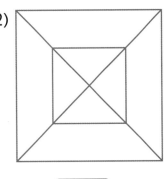

⬜개

예제 2

다음 모양에서 찾을 수 있는 크고 작은 사각형의 개수를 구하세요.

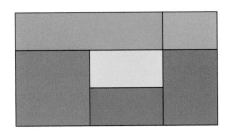

다음 점판 위의 네 점을 이어 그릴 수 있는 크고 작은 사각형의 개수를 구하세요.

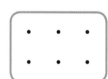

점을 이어 그릴 수 있는 사각형의 개수 구하기

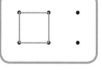 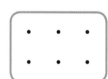  

 개   개   개   개

1. 네 점을 이어 그릴 수 있는 서로 다른 사각형을 모두 그리고, 각 사각형의 개수를 구합니다.

2. 점을 이어 그릴 수 있는 사각형을 찾을 때에는 직사각형이 아닌 사각형도 생각합니다.

3. 점판 위에 위치가 다른 종류별 사각형을 몇 개씩 그릴 수 있는지 생각합니다.

예제 1

점판 위의 세 점을 이어 삼각형을 그릴 때, 주어진 선분을 포함하는 서로 다른 삼각형을 모두 그리세요. (단, 돌리거나 뒤집어서 같은 모양은 한 가지로 봅니다.)

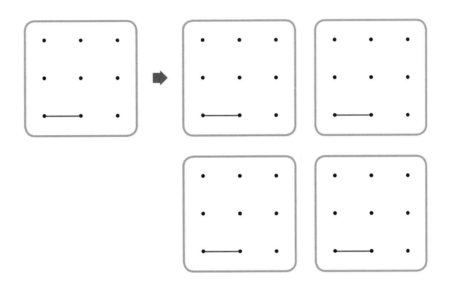

예제 2

점판 위의 세 점을 이어 그릴 수 있는 서로 다른 삼각형을 모두 그리고, 그릴 수 있는 각 삼각형의 개수를 쓰세요.

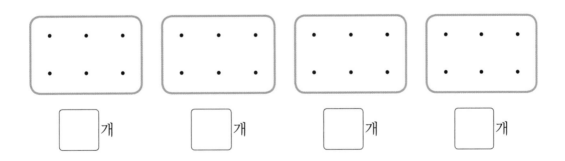

개   개   개   개

1 다음 모양에서 찾을 수 있는 크고 작은 사각형의 개수를 구하세요.

(1)

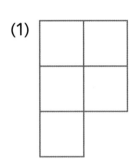

 개

(2)

 개

2 다음 모양에서 찾을 수 있는 크고 작은 삼각형의 개수를 구하세요.

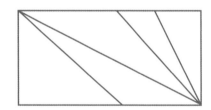

3 점판 위의 세 점을 이어 그릴 수 있는 크고 작은 삼각형의 개수를 구하세요.

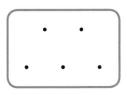

4 다음 모양에서 선을 따라 그릴 수 있는 삼각형과 사각형의 개수를 각각 구하세요.

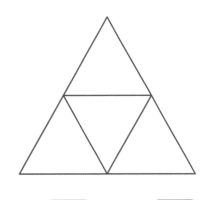

삼각형: ☐ 개, 사각형: ☐ 개

5 다음 모양에서 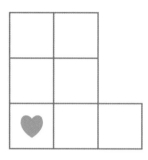를 포함하는 크고 작은 사각형의 개수를 구하세요.

6 다음 모양에서 찾을 수 있는 크고 작은 삼각형의 개수를 구하세요.

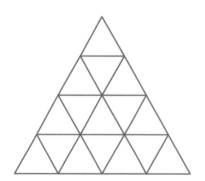

7 다음 모양에서 선을 따라 그릴 수 있는 삼각형 중 2조각으로 만들어지는 삼각형과 3조각으로 만들어지는 삼각형의 개수의 차를 구하세요.

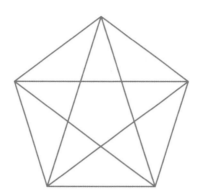

8 세 변의 길이가 모두 같은 삼각형을 정삼각형이라고 합니다. 점판 위의 세 점을 이어 그릴 수 있는 크기가 다른 정삼각형을 모두 그리고, 그릴 수 있는 각 정삼각형의 개수를 구하세요.

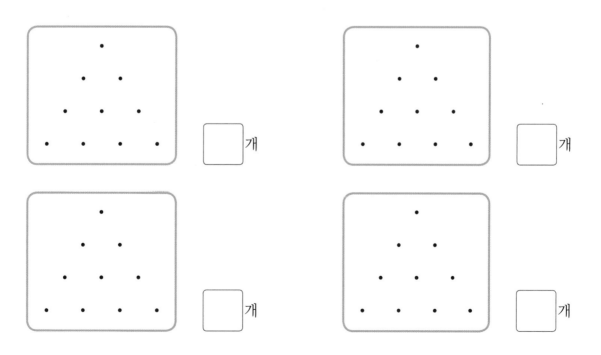

1 다음 모양에서 찾을 수 있는 크고 작은 사각형은 모두 몇 개인지 구하세요.

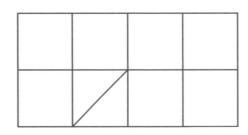

2 네 변의 길이가 모두 같은 사각형을 정사각형이라고 합니다. 점판 위의 네 점을 이어 그릴 수 있는 크기가 다른 정사각형을 모두 그리고, 각 정사각형의 개수를 구하세요.

☐ 개   ☐ 개   ☐ 개

☐ 개   ☐ 개

● **보기** 는 점판 위에 직사각형을 그리고, 직사각형이 지나는 점의 개수를 구한 것입니다. 다음 점판 위에 점 12개를 지나는 직사각형을 모두 몇 개 그릴 수 있습니까? (단, 모양이 같더라도 위치가 다른 직사각형은 다른 것으로 봅니다.)

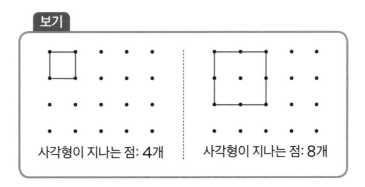

보기

사각형이 지나는 점: 4개   사각형이 지나는 점: 8개

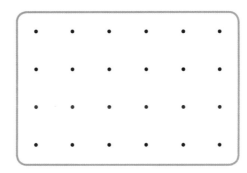

● 다음 그림에서 선을 따라 그릴 수 있는 삼각형과 사각형의 개수를 차례로 쓰세요.

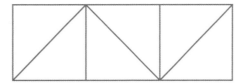

02

도형 붙이기

도형 붙이기

지호　　　예원

Math story teller

 : 예원아 이것 봐. 내가 정사각형 모양 종이 3장을 이어 붙여서 새로운 모양을 만들었어. 이렇게 정사각형 3개를 이어 붙여 만든 모양을 '트리미노'라고 해.

 : 다른 모양의 트리미노는 없어?

 : 응. 더 만들어 봐도 돌리거나 뒤집으면 다 똑같은 모양이야.
정삼각형 모양 종이를 3장씩 이어 붙여 새로운 모양을 만들어 볼래? 도형을 붙일 때에는 길이가 같은 변끼리 붙여야 하고, 돌리거나 뒤집어서 같은 모양은 한 가지로 보는 거야.

● 정삼각형 3개를 이어 붙여 만든 모양을 트리아몬드라고 합니다. 만들 수 있는 트리아몬드를 모두 그리세요.

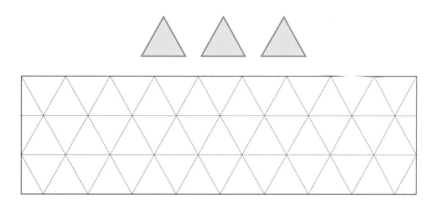

모양을 겹치거나 변이 어긋나게 붙이면 안 돼.

그래, 나처럼 길이가 같은 변을 딱 맞춰서 이어 붙여.

정사각형 4개를 이어 붙여 만든 모양을 테트로미노라고 합니다. 테트로미노를 모두 그리세요. 몇 가지입니까?

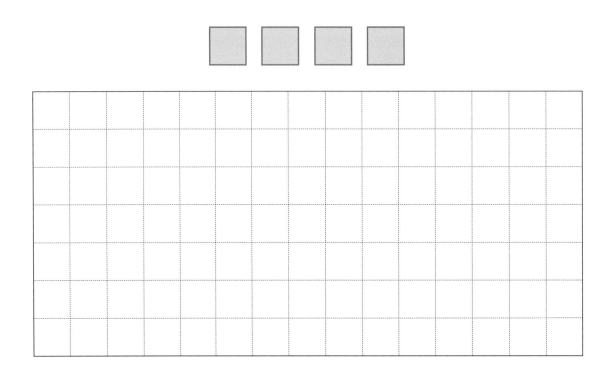

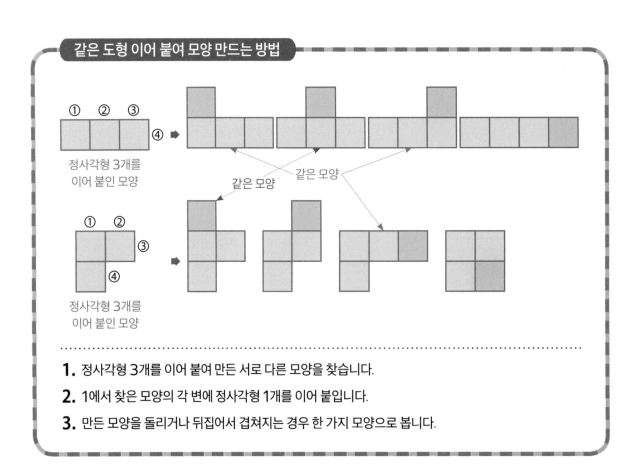

1. 정사각형 3개를 이어 붙여 만든 서로 다른 모양을 찾습니다.

2. 1에서 찾은 모양의 각 변에 정사각형 1개를 이어 붙입니다.

3. 만든 모양을 돌리거나 뒤집어서 겹쳐지는 경우 한 가지 모양으로 봅니다.

예제 1

변의 길이가 모두 같은 육각형 **3**개를 이어 붙여 만들 수 있는 서로 다른 모양을 모두 그리세요.

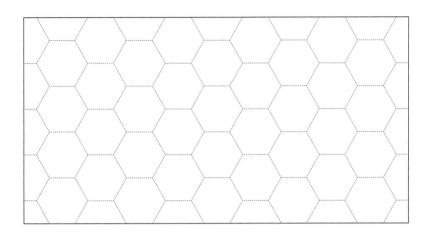

예제 2

정삼각형 **5**개를 이어 붙여 만든 펜티아몬드는 다음과 같이 모두 **4**가지입니다. 주어진 모양을 서로 다른 펜티아몬드 **2**조각으로 나누고, 나눈 방법을 선으로 나타내세요.

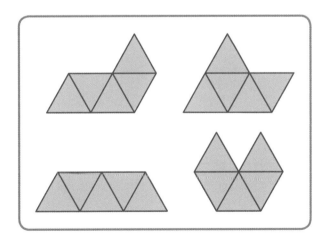

(1)

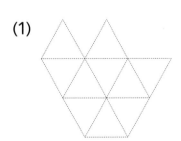

(2)

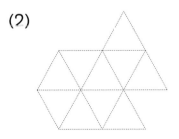

정사각형 모양 색종이와 그 종이를 반으로 잘라 만든 삼각형 모양 색종이 2장이 있습니다. 이 색종이 3장을 이어 붙여 만들 수 있는 모양을 모두 그리세요. 몇 가지입니까?

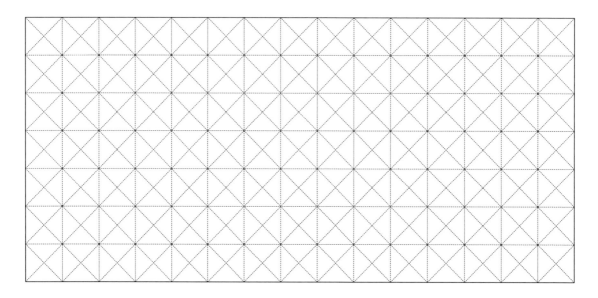

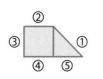   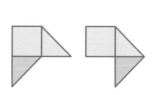

1. 서로 다른 모양을 이어 붙일 때에 길이가 다른 변끼리 붙이지 않습니다.

2. 모양 2개를 이어 붙여 만든 모양의 둘레에 나머지 모양을 돌려가며 붙입니다.

3. 삼각형 모양을 붙일 때에는 삼각형 모양 조각을 뒤집어가며(◿, ◺) 붙입니다.

예제1

펜토미노는 정사각형 **5**개를 이어 붙여 만든 모양입니다. 오른쪽과 같이 정사각형 **4**개를 이어 붙여 만든 모양에 정사각형 **1**개를 더 붙여 펜토미노 모양을 만들려고 합니다. 만들 수 있는 모양에 모두 ◯표 하세요.

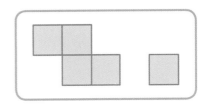

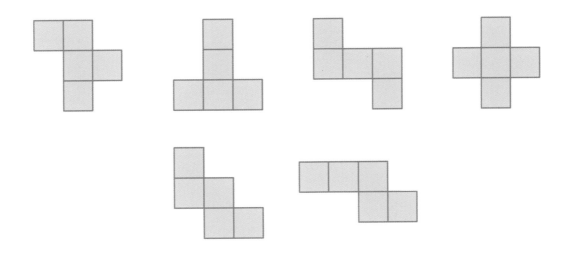

예제 2

변의 길이가 같은 정사각형 모양 종이 **2**장과 정삼각형 모양 종이 **1**장이 있습니다. 이 종이 **3**장을 이어 붙여 만들 수 있는 서로 다른 모양은 모두 몇 가지입니까?

1 크기가 같은 정삼각형 4개를 이어 붙여서 만든 모양을 테트리아몬드라고 합니다. 만들 수 있는 테트리아몬드를 모두 그리세요.

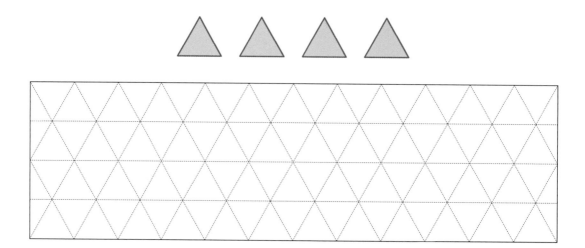

2 다음은 정삼각형 3개를 이어 붙여 만든 트리아몬드입니다. 주어진 트리아몬드 2조각을 길이가 같은 변끼리 이어 붙여 만들 수 없는 모양을 고르세요.

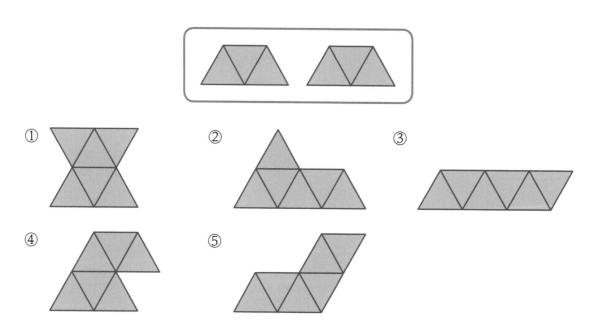

3 다음은 정사각형 2개를 이어 붙여 만든 모양입니다. 이 모양 3개를 길이가 같은 변끼리 이어 붙여 만들 수 있는 서로 다른 모양을 모두 그리세요.

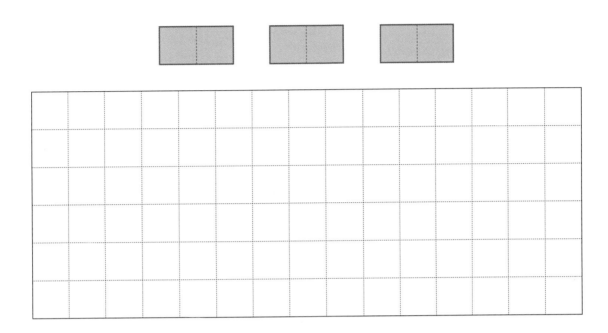

4 다음 두 도형을 길이가 같은 변끼리 이어 붙여 만들 수 있는 서로 다른 모양을 모두 그리세요.

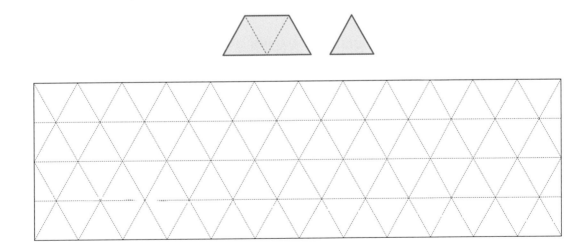

5 주어진 모양 조각 4개를 모두 이어 붙여 다음과 같은 모양을 만들었습니다. 이어 붙인 방법을 선으로 나타내세요.

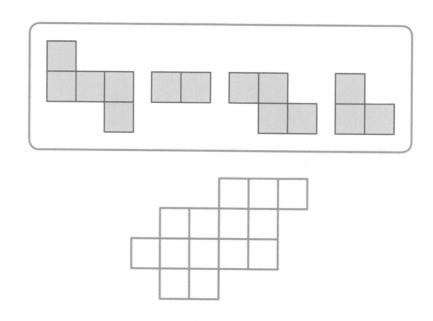

6 변의 길이가 같은 정사각형 모양 종이 1장과 정삼각형 모양 종이 2장이 있습니다. 이 종이 3장을 이어 붙여 만들 수 있는 서로 다른 모양은 모두 몇 가지입니까?

7 다음 두 모양은 크기가 같은 정사각형을 이어 붙여 만들었습니다. 이 두 모양을 길이가 같은 변끼리 이어 붙여 만들 수 있는 서로 다른 모양을 모두 그리세요.

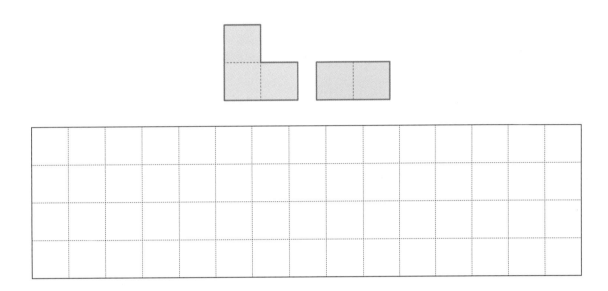

8 다음은 변의 길이가 모두 같은 삼각형, 사각형, 육각형 조각입니다. 이 모양 조각을 사용하여 만들 수 있는 서로 다른 삼각형을 모두 그리세요. 몇 가지입니까? (단, 모든 조각을 사용하지 않아도 되며, 붙인 자리가 달라도 돌리거나 뒤집어서 같은 모양은 한 가지로 봅니다.)

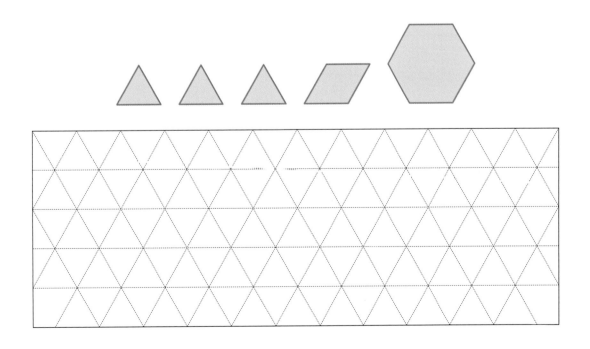

1 다음은 정사각형 모양 종이 2장을 각각 반으로 나누어 삼각형 모양을 만든 것입니다. 이 삼각형 모양 종이 4장 중 몇 장을 이어 붙여 서로 다른 모양의 사각형을 만들려고 합니다. 물음에 답하세요.

● 삼각형 모양 종이 **2**장을 이어 붙여 만들 수 있는 사각형을 모두 그리세요. 몇 가지입니까?

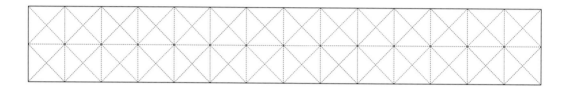

● 삼각형 모양 종이 **3**장을 이어 붙여 만들 수 있는 사각형을 모두 그리세요. 몇 가지입니까?

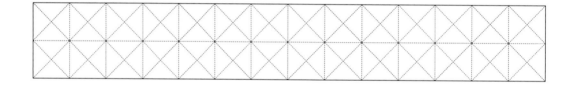

● 삼각형 모양 종이 **4**장을 이어 붙여 만들 수 있는 사각형을 모두 그리세요. 몇 가지입니까?

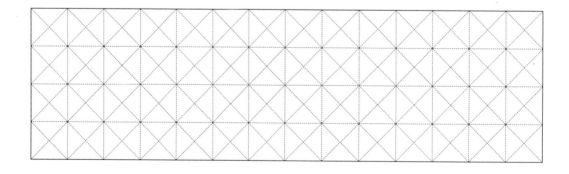

● 삼각형 모양 종이 **4**장 중 몇 장을 이어 붙여 만들 수 있는 사각형은 모두 몇 가지입니까?

● 다음과 같은 종이 2장을 길이가 같은 변끼리 이어 붙여 만들 수 있는 서로 다른 모양은 모두 몇 가지입니까?

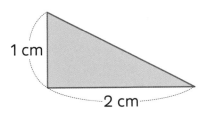

● 다음은 같은 크기의 정사각형 3개를 이어 붙여 만든 트리미노입니다. 트리미노 2조각을 길이가 같은 변끼리 이어 붙여 만들 수 있는 서로 다른 모양을 모두 그리세요. 몇 가지입니까?

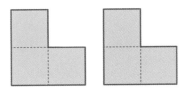

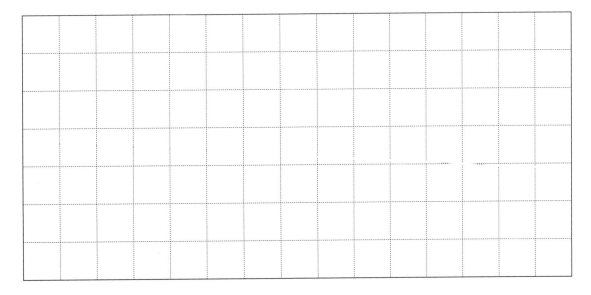

03

쌓기나무

쌓기나무

지호   예원

Math story teller

 : 쌓기나무로 쌓은 모양을 위에서 본 모양을 그린 후 각 자리에 쌓인 쌓기나무의 개수를 써 넣은 표를 쌓기표라고 해.

 : 쌓기표의 수를 모두 더하면 모양을 만드는 데 사용한 쌓기나무의 총 개수가 되는 거야.

쌓기표

쌓기나무의 개수
$2+3+2+1+1+1=10$(개)

● 쌓기나무로 쌓은 모양을 보고 쌓기표를 완성하고, 쌓기나무의 개수를 구하세요.

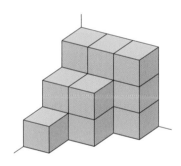

쌓기표

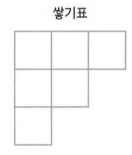

쌓기나무의 개수: [   ]개

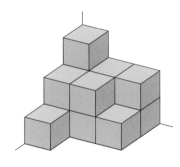

쌓기표

쌓기나무의 개수: [   ]개

쌓기나무로 쌓은 모양에서 보이는 쌓기나무의 개수와 보이지 않는 쌓기나무의 개수를 구하세요.

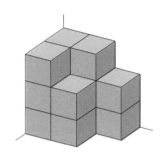

쌓기나무의 개수: **13**개

보이는 쌓기나무의 개수: ☐ 개

보이지 않는 쌓기나무의 개수: ☐ 개

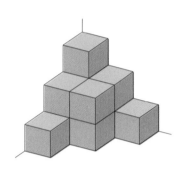

쌓기나무의 개수: ☐ 개

보이는 쌓기나무의 개수: ☐ 개

보이지 않는 쌓기나무의 개수: ☐ 개

보이지 않는 쌓기나무의 개수

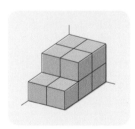

[방법 1] 전체 쌓기나무의 개수: **10**개, 보이는 쌓기나무의 개수: **8**개

➡ 보이지 않는 쌓기나무의 개수: **2**개

[방법 2] 보이지 않는 쌓기나무의 개수를 적은 쌓기표

1	0
1	0
0	0

➡ 1 + 1 = 2(개)

1. 보이지 않는 쌓기나무는 위, 앞, 옆 어느 방향에서 보아도 보이지 않는 쌓기나무입니다.

2. (보이지 않는 쌓기나무의 개수) = (전체 쌓기나무의 개수) − (보이는 쌓기나무의 개수)

3. 쌓기표의 각 칸에 그 자리에 쌓은 쌓기나무 중 보이지 않는 쌓기나무의 개수를 쓰고, 그 수의 합을 구하여 보이지 않는 쌓기나무의 개수를 구합니다.

예제 1

다음 쌓기표의 각 칸에 그 자리에 놓인 쌓기나무 중 보이지 않는 쌓기나무의 개수를 쓰세요.

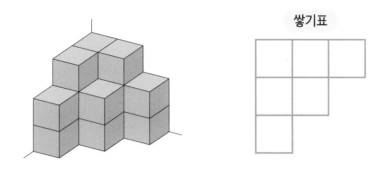

쌓기표

예제 2

쌓기나무로 쌓은 모양에서 보이는 쌓기나무와 보이지 않는 쌓기나무의 개수의 차를 구하세요.

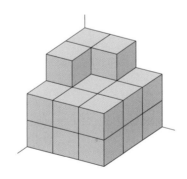

쌓기나무로 쌓은 모양을 보고 위, 앞, 오른쪽 옆에서 본 모양을 그리세요.

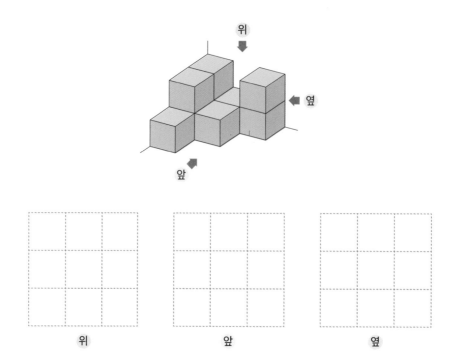

위

앞

옆

위, 앞, 옆에서 본 모양

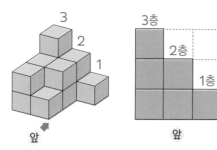

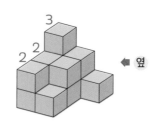

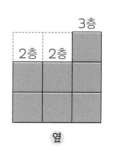

1. 위에서 본 모양은 1층의 모양과 같습니다.

2. 앞과 옆에서 본 모양은 각 방향에서 보았을 때 각 줄의 가장 높은 층수를 나타냅니다.

3. 오른쪽 옆에서 본 모양은 가장 뒷줄에 있는 쌓기나무의 층수를 가장 오른쪽에 나타냅니다.

예제 1

쌓기나무로 쌓은 모양을 위, 앞, 오른쪽 옆에서 본 모양을 찾아 ☐ 안에 위, 앞, 옆을 쓰세요.

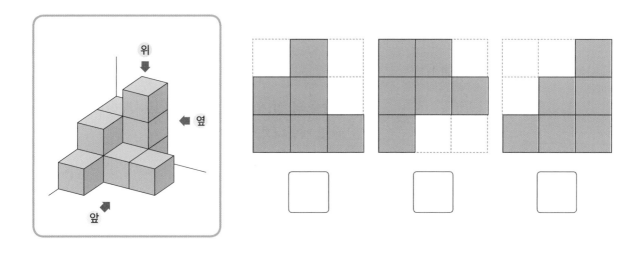

예제 2

오른쪽 옆에서 본 모양이 다음과 같은 쌓기나무로 쌓은 모양을 모두 찾아 기호를 쓰세요.

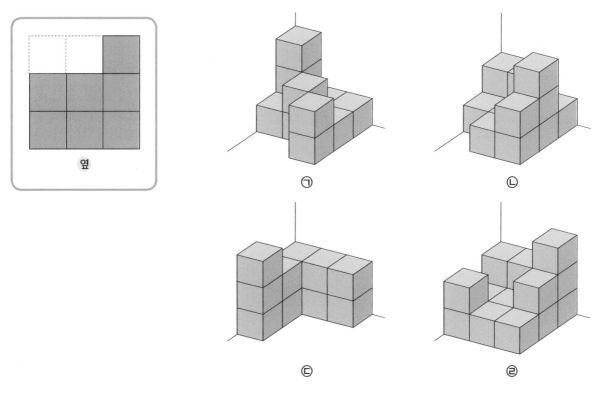

1 쌓기나무로 쌓은 모양을 보고 물음에 답하세요.

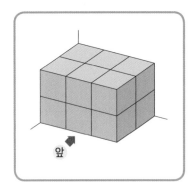

(1) 모양을 만들기 위해 필요한 쌓기나무는 몇 개입니까?

(2) 모양을 위, 앞, 옆에서 보았을 때 보이지 않는 쌓기나무는 몇 개입니까?

2 다음은 쌓기나무로 쌓은 모양의 1층입니다. 쌓기나무로 1층 위에 2층, 3층을 올릴 때 2층과 3층으로 알맞은 그림을 찾아 기호를 쓰세요.

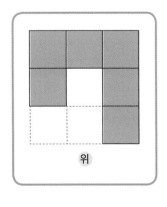

ㄱ

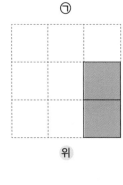

ㄴ

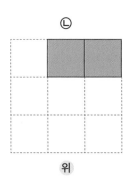

ㄷ

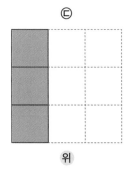

ㄹ

ㅁ

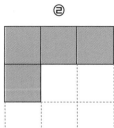

ㅂ

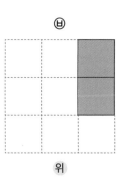

2층: ☐ , 3층: ☐

3 다음 쌓기표와 같이 쌓은 모양을 앞과 오른쪽 옆에서 본 모양을 그리세요.

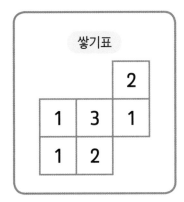

앞

옆

4 쌓기표에 맞는 설명을 찾아 선으로 이으세요.

쌓기표

	2	
2	3	
1	1	1

•

• ・2층에 놓인 쌓기나무는 3개입니다.
・앞과 오른쪽 옆에서 본 모양이 같습니다.

	1	
2	3	1
2		

•

• ・1층에 놓인 쌓기나무는 6개입니다.
・위와 앞에서 본 모양이 같습니다.

		2
2	3	1
3		

•

• ・3층에 놓인 쌓기나무는 2개입니다.
・앞에서 본 모양에서 2층이 가장 낮습니다.

5 쌓기나무로 쌓은 다음 모양에 쌓기나무 몇 개를 놓아 앞과 오른쪽 옆에서 본 모양을 모두 똑같이 만들려고 합니다. 필요한 가장 적은 쌓기나무의 개수와 쌓기나무를 놓을 수 있는 자리를 모두 쓰세요.

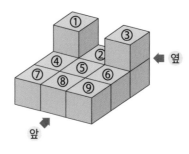

6 쌓기나무로 쌓은 모양을 위, 앞, 오른쪽 옆에서 본 모양입니다. 똑같은 모양을 만들기 위해 필요한 쌓기나무의 개수를 구하세요.

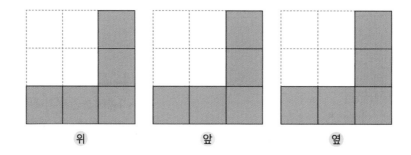

위　　　　　앞　　　　　옆

7 다음은 쌓기나무 8개로 쌓은 모양을 위와 앞에서 본 모양입니다. 같은 모양을 오른쪽 옆에서 본 모양을 그리세요.

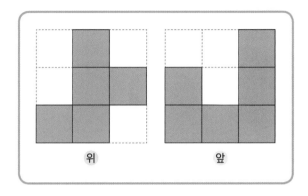

위   앞

옆

8 오른쪽 모양에 쌓기나무 1개를 더 쌓았을 때, 오른쪽 옆에서 본 모양이 될 수 있는 것의 기호를 모두 쓰세요.

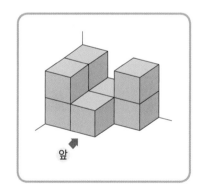

앞

⊙

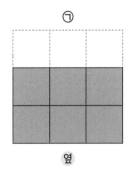

옆

ⓛ

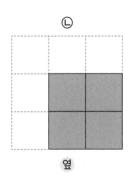

옆

ⓒ

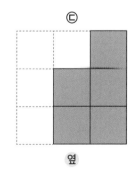

옆

ⓔ

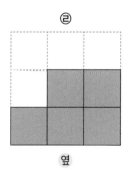

옆

1 다음 모양은 흰색 쌓기나무와 검은색 쌓기나무를 같은 색의 쌓기나무끼리 이웃하지 않도록 쌓은 것입니다. 사용한 검은색 쌓기나무는 몇 개입니까?

2 쌓기나무를 7개씩 사용하여 주어진 조건 에 맞도록 ㉠, ㉡ 모양을 만들었습니다. ㉠, ㉡ 모양의 쌓기표의 각 칸에 알맞은 수를 쓰세요.

> **조건**
>
> ① ㉠, ㉡ 모양은 서로 다른 모양입니다.
> ② ㉠, ㉡ 모양을 위, 앞, 오른쪽 옆에서 본 모양이 각각 서로 같습니다.

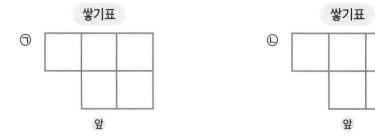

● 쌓기나무 8개를 모두 사용하여 위에서 본 모양이 오른쪽과 같은 모양이 되도록 만들었습니다. 가장 높은 층이 3층이라고 할 때, 만들 수 있는 여러 가지 방법을 모두 쌓기표로 나타내세요. (단, 만든 모양을 돌렸을 때 같은 모양은 한 가지로 봅니다.)

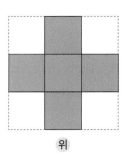

위

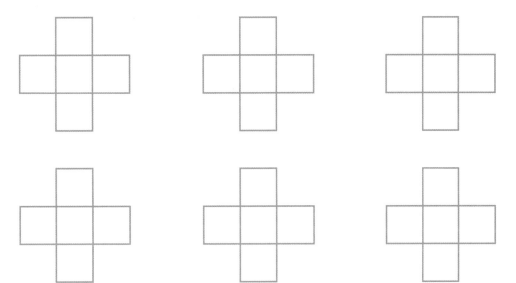

● 왼쪽 모양에서 쌓기나무 15개를 뺐습니다. 쌓기나무를 빼고 남은 모양을 위, 앞, 오른쪽 옆에서 본 모양이 오른쪽과 같을 때, 보이지 않는 쌓기나무는 모두 몇 개입니까?

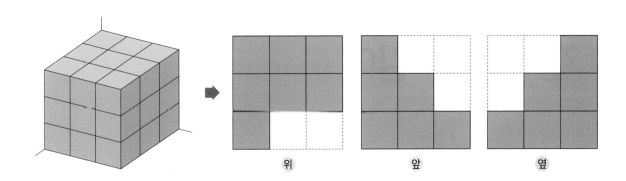

위   앞   옆

04

잴 수 있는 길이

잴 수 있는 길이

지호   예원

Math story teller

 : 내가 3 cm, 4 cm, 5 cm, 6 cm 길이를 재고 싶은데, 자의 눈금이 일부분 지워져서 길이를 잴 수가 없어.

| 1   3   6 7 |

 : 눈금 사이의 간격을 이용해 봐. 3 cm와 6 cm 사이의 간격이 3 cm니까, 이 간격을 이용하면 3 cm를 잴 수 있지.

 : 그럼 다른 길이도 이 방법으로 잴 수 있겠구나.

● 다음 자를 이용하여 **4 cm**와 **5 cm**, **6 cm**를 재는 방법을 나타내세요.

4 cm

5 cm

6 cm

다음과 같이 눈금 사이의 간격만을 알 수 있는 막대가 있습니다. 이 막대를 이용하여 잴 수 있는 길이를 모두 구하세요.

2 cm	5 cm	4 cm

길이의 합으로 잴 수 있는 길이 찾기

1 cm	4 cm	3 cm

| 1 cm | 4 cm | 3 cm | ➡ 1 cm, 4 cm, 3 cm |

| 1 cm | 4 cm | 4 cm | 3 cm | ➡ 5 cm, 7 cm |

| 1 cm | 4 cm | 3 cm | ➡ 8 cm |

1. 칸을 1개, 2개, 3개로 나누어 잴 수 있는 길이를 생각합니다.

2. 막대를 자를 수 없으므로 이웃한 칸의 길이만 더하여 길이를 잽니다.

예제 1

다음과 같이 눈금 사이의 간격만 알 수 있는 막대로 1 cm부터 8 cm까지의 길이를 1 cm 간격으로 모두 재려고 합니다. 이때 잴 수 없는 길이를 쓰세요.

2 cm	1 cm	3 cm	2 cm

예제 2

눈금이 지워진 오래된 자가 여러 개 있습니다. 다음 중 가장 많은 길이를 잴 수 있는 자는 무엇입니까?

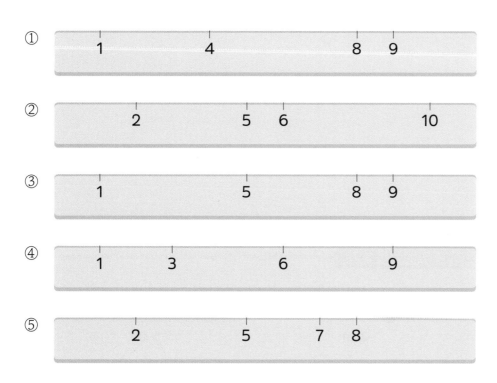

다음은 길이가 1 cm, 7 cm, 2 cm인 막대가 연결되어 있는 연결자입니다. 연결된 부분을 자유롭게 돌릴 수 있을 때, 주어진 길이를 재는 방법을 식으로 나타내세요.

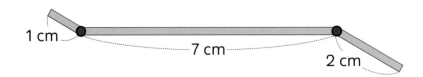

길이	재는 방법	길이	재는 방법
2 cm	2	7 cm	
4 cm		8 cm	
5 cm		9 cm	
6 cm		10 cm	

길이의 합과 차로 잴 수 있는 길이 찾기

합으로 구하기: 5 + 2 = 7(cm)

차로 구하기: 5 − 2 = 3(cm)

1. 막대의 연결 부분을 완전히 펴면 길이의 합을 이용하여 길이를 잴 수 있습니다.
2. 막대의 연결 부분을 접으면 길이의 차를 이용하여 길이를 잴 수 있습니다.

예제 1

다음은 길이가 **3 cm, 6 cm, 2 cm**인 막대가 연결되어 있는 연결자입니다. 연결된 부분을 자유롭게 돌려 **1 cm**부터 **11 cm**까지의 길이를 **1 cm** 간격으로 잴 때, 잴 수 없는 길이를 쓰세요.

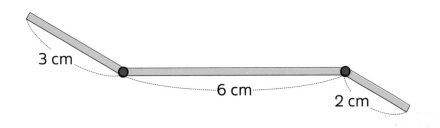

예제 2

다음 연결자를 이용하여 잴 수 있는 가장 긴 길이는 **13 cm**입니다. 이 연결자로 잴 수 있는 가장 짧은 길이는 몇 **cm**입니까?

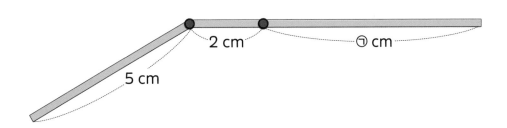

1 다음과 같이 눈금이 일부분 지워진 자를 이용하여 다음과 같은 물건의 길이를 재려고 합니다. 길이를 잴 수 없는 물건은 무엇입니까?

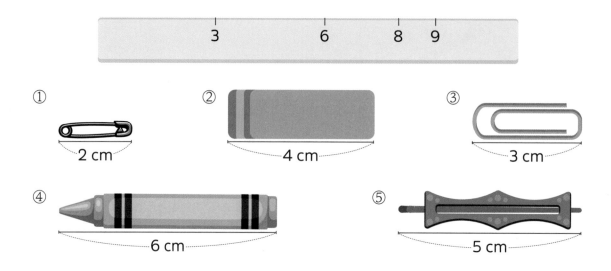

① 2 cm

② 4 cm

③ 3 cm

④ 6 cm

⑤ 5 cm

2 다음과 같이 눈금 사이의 간격만을 알 수 있는 막대가 있습니다. 다음 중 이 막대를 이용하여 잴 수 있는 길이에 모두 ◯표 하세요.

2 cm	3 cm	4 cm

1 cm 3 cm 5 cm 6 cm 7 cm 9 cm 10 cm

3 길이가 6 cm, 9 cm, 7 cm인 막대가 연결되어 있는 연결자를 다음과 같이 접었을 때, 잴 수 있는 길이를 모두 쓰세요. (단, 각 막대의 길이는 제외하고 생각합니다.)

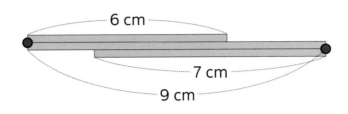

4 다음 연결자 중 5 cm를 잴 수 없는 자의 기호를 쓰세요.

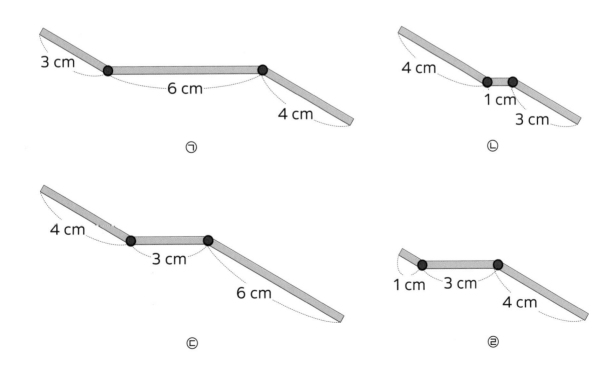

5 다음 중 1 cm부터 7 cm까지의 길이를 1 cm 간격으로 빠짐없이 잴 수 있는 자를 모두 고르세요.

① 1 cm | 3 cm | 3 cm

② 1 cm | 2 cm | 1 cm | 3 cm

③ 1 cm | 2 cm | 3 cm | 1 cm

④ 3 cm | 1 cm | 1 cm | 2 cm

⑤ 2 cm | 2 cm | 2 cm | 1 cm

6 다음은 길이가 1 cm, 8 cm, 5 cm인 막대로 된 연결자입니다. 이 연결자를 이용하여 1 cm부터 14 cm까지의 길이를 1 cm 간격으로 길이를 잴 때, 잴 수 없는 길이 중 가장 긴 길이를 쓰세요.

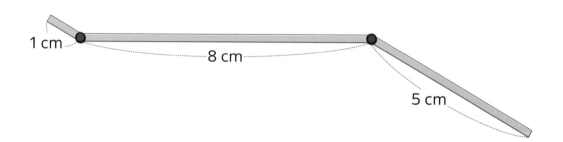

7 다음 두 도형을 이용하여 잴 수 있는 길이는 모두 몇 가지입니까? (단, 두 도형을 모두 사용할 필요는 없습니다.)

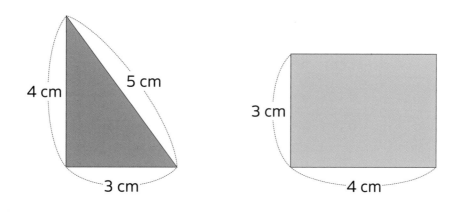

8 보기 는 3 cm 막대에 눈금 1개를 그어 1 cm부터 3 cm까지 1 cm 간격으로 모두 잴 수 있도록 만든 것입니다. 같은 방법으로 1 cm부터 6 cm까지의 길이를 1 cm 간격으로 모두 잴 수 있도록 길이가 6 cm인 막대에 눈금 2개를 그으세요.

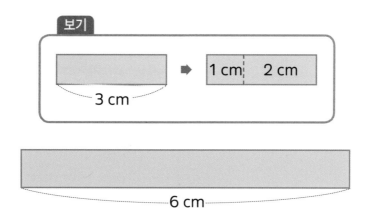

1 다음과 같은 1 cm, 3 cm, 6 cm짜리 막대를 이용하여 1 cm부터 10 cm까지의 길이를 1 cm 간격으로 모두 잴 수 있는 연결자를 만들려고 합니다. 막대를 연결할 때 가운데 놓아야 하는 막대의 길이를 구하세요.

1 cm	▭
3 cm	▭▭▭
6 cm	▭▭▭▭▭▭

2 다음과 같이 눈금이 지워진 자를 이용하여 1 cm부터 10 cm까지 1 cm 간격으로 모두 잴 수 있도록 눈금 하나를 더 그리려고 합니다. 그릴 수 있는 눈금을 모두 쓰세요.

```
|      1          5       8    10  11
```

● 다음 연결자를 이용하여 1 cm부터 9 cm까지의 길이를 7 cm를 제외하고 1 cm 간격으로 모두 잴 수 있습니다. ㉠ 막대는 몇 cm입니까?

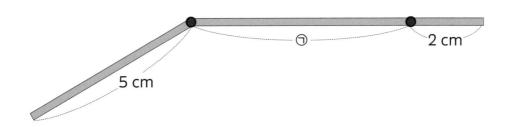

● 눈금이 지워진 8 cm 길이의 막대가 있습니다. 이 막대에는 1 cm부터 8 cm까지의 길이를 1 cm 간격으로 모두 잴 수 있도록 눈금 3개가 그어져 있었습니다. 지워진 눈금을 모두 그리고, 눈금 사이의 간격을 쓰세요.

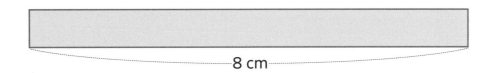

05

간격과 개수

간격과 개수

지호   예원

Math story teller

 : 지호야, 우리 직선 모양 화단과 원 모양 화단의 둘레에 꽃을 심자.

 : 어떻게 심을까?

 : 화단의 길이가 모두 5 m야. 우리 1 m 간격으로 꽃을 심자. 직선 모양의 화단에는 시작과
끝에 모두 꽃을 심어야 해.

 : 꽃이 모두 몇 송이 필요할까?

● 길이가 5 m인 직선 모양의 화단과 둘레가 5 m인 원 모양 화단 둘레에 1 m 간격으로
꽃을 심는 위치를 나타내고, 각각 꽃 몇 송이가 필요한지 쓰세요.

[직선 모양 화단]

꽃: ☐ 송이

[원 모양 화단]

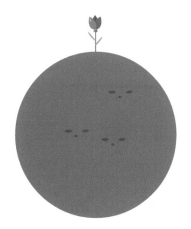

꽃: ☐ 송이

민서는 곧은 길의 한쪽에 5 m 간격으로 나무 7 그루를 심었습니다. 이 길의 길이는 몇 m입니까? (단, 나무의 굵기는 생각하지 않습니다.)

5 m

간격의 수와 나무의 수의 관계

① 곧은 길에 나무를 심는 경우

간격   간격

나무: 3 그루, 간격: 2개

나무: 4 그루, 간격: ☐개

② 원 모양 길에 나무를 심는 경우

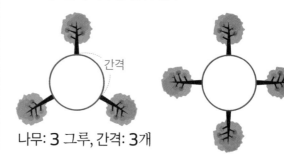
간격

나무: 3 그루, 간격: 3개

나무: 4 그루, 간격: ☐개

1. 곧은 길에 처음부터 끝까지 나무를 심는 경우 (나무의 수) = (간격 수) + 1입니다.

2. 원 모양 길에 나무를 심는 경우 (나무의 수) = (간격 수)입니다.

예제 1

둘레가 **90 m**인 호수의 둘레에 **10 m** 간격으로 꽃을 심을 때, 꽃은 몇 송이 필요합니까?

예제 2

길이가 **20 km**인 도로의 양쪽에 처음부터 끝까지 **4 km** 간격으로 나무를 심으려고 합니다. 나무는 모두 몇 그루 필요합니까?

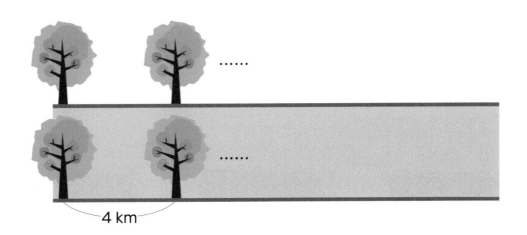

4 km

예원이가 길이가 24 m인 통나무를 4 m 간격으로 모두 자르려고 합니다. 한 번 자르는 데 2분이 걸리고 쉬지 않고 자를 때, 통나무를 자르는데 모두 몇 분이 걸리는지 구하세요.

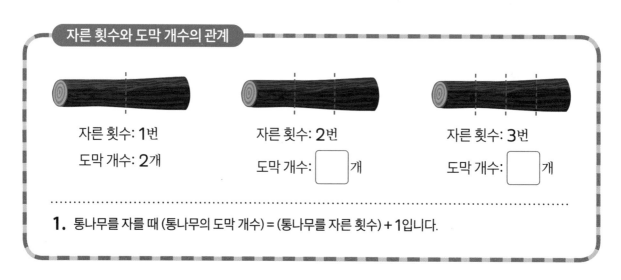

자른 횟수와 도막 개수의 관계

자른 횟수: 1번
도막 개수: 2개

자른 횟수: 2번
도막 개수: ☐개

자른 횟수: 3번
도막 개수: ☐개

1. 통나무를 자를 때 (통나무의 도막 개수) = (통나무를 자른 횟수) + 1입니다.

예제 1

지한이는 길이가 **60 cm**인 색 테이프를 길이가 모두 같도록 자르려고 합니다. 지한이가 색 테이프를 자른 횟수가 다음과 같을 때 색 테이프의 도막의 개수와 한 도막의 길이를 구하세요.

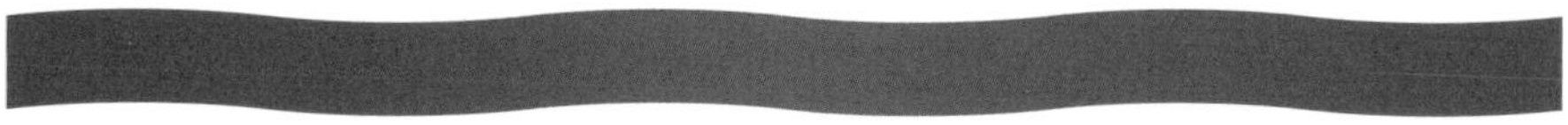

(1) 자른 횟수 **2**번: 도막의 개수 [　] 개, 한 도막의 길이 [　] cm

(2) 자른 횟수 **4**번: 도막의 개수 [　] 개, 한 도막의 길이 [　] cm

(3) 자른 횟수 **5**번: 도막의 개수 [　] 개, 한 도막의 길이 [　] cm

예제 2

긴 통나무 한 개를 **6** 도막으로 자르려고 합니다. 한 번 자르는데 **4**분이 걸리고, 한 번 자르고 **2**분을 쉽니다. 통나무를 자르는데 모두 몇 분이 걸리는지 구하세요.

1 길의 한쪽에 나무 9 그루를 4 m 간격으로 심으려고 합니다. 첫 번째 나무와 마지막 나무 사이의 거리는 몇 m입니까? (단, 나무의 굵기는 생각하지 않습니다.)

2 서현이가 박수를 칩니다. 한 번 박수 칠 때 걸리는 시간이 1초이고, 박수를 한 번 치고 2초를 쉽니다. 서현이가 박수를 7번 칠 때 걸리는 시간은 모두 몇 초입니까?

박자를 맞추어 박수를 쳐야 해.

3 공원 관리인이 둘레가 80 m인 호수 주변에 5 m 간격으로 말뚝을 세우려고 합니다. 관리인은 말뚝 몇 개를 준비해야 합니까?

4 바게트 빵이 3개 있습니다. 이 바게트 빵을 각각 4 조각으로 자르려고 합니다. 한 번 자르는데 5초가 걸린다면 바게트 빵 3개를 모두 자르는데 몇 초가 걸립니까?

5 민서가 1층에서 5층까지 엘리베이터를 타고 올라가는데 모두 20초가 걸렸습니다. 민서가 한 층을 올라가는데 걸린 시간은 몇 초입니까? (단, 한 층을 올라가는데 걸리는 시간은 모두 같습니다.)

6 한 변이 20 m인 정사각형 모양의 놀이터 둘레에 5 m 간격으로 가로등이 설치되어 있습니다. 가로등과 가로등 사이에는 의자가 한 개씩 놓여 있습니다. 놀이터 둘레에는 의자가 모두 몇 개 있습니까?

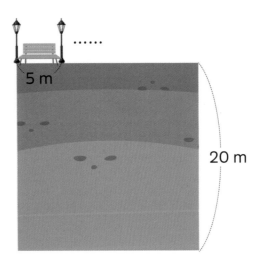

7 길이가 100 m인 길의 양쪽에 5 m 간격으로 꽃을 심으려고 합니다. 길의 처음과 끝에 꽃을 심지 않을 때 꽃은 모두 몇 송이가 필요합니까?

8 1부터 10까지의 수 카드 10장을 한 줄로 늘어놓았습니다. 수 카드의 가로 길이는 3 cm이고, 카드 사이의 간격은 1 cm입니다. 수 카드 1과 10 사이의 간격은 몇 cm입니까?

3 cm

1 어느 기차 모형은 양끝에 기관차가 1개씩 있고 그 사이에 객차 5개가 연결되어 있습니다. 기관차 1개의 길이는 10 cm, 객차 1대의 길이는 8 cm, 기관차와 객차, 객차와 객차 사이의 간격은 각각 1 cm입니다. 이 기차 모형의 길이는 몇 cm입니까?

2 예원이가 엘리베이터로 1층부터 6층까지 올라가면 30초가 걸립니다. 예원이가 같은 엘리베이터로 1층에서 10층까지 올라갈 때, 각 층마다 문이 열려서 1초씩 시간이 더 걸린다면 10층까지 가는 데 모두 몇 초가 걸립니까?

한 층을 올라가는데 걸리는 시간은 모두 같아.

● 지호는 긴 색 테이프를 10 cm 간격으로 자르려고 합니다. 한 번 자르는 데 5초가 걸리고, 1초를 쉽니다. 색 테이프를 자르는 데 모두 35초가 걸린다면 색 테이프의 길이는 몇 cm입니까?

● 둥근 모래 놀이터의 둘레에 같은 간격으로 깃발을 꽂으려고 합니다. 3 m 간격으로 깃발을 꽂을 때보다 2 m 간격으로 깃발을 꽂을 때, 깃발이 3개 더 필요하다면, 놀이터의 둘레는 몇 m입니까?

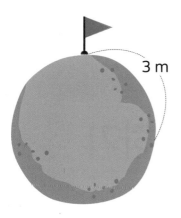

3 m

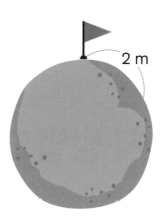

2 m

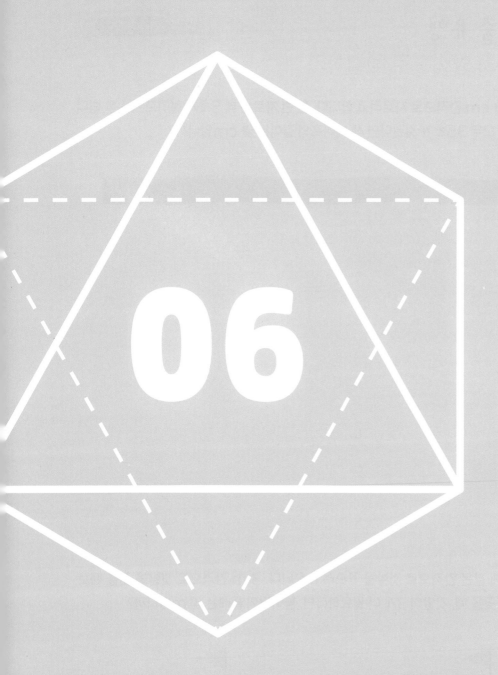

06

여러 가지 방법으로 해결하기

여러 가지 방법으로 해결하기

지호   예원

Math story teller

 : 내가 퀴즈 하나 낼게. 농장에 학과 거북이 여러 마리 있어. 학과 거북의 머리는 모두 7개, 다리는 모두 22개야. 학과 거북은 각각 몇 마리씩 있을까?

 : 머리가 7개니까 모두 7마리지. 학 한 마리는 다리가 2개, 거북 한 마리의 다리는 4개야. 그런데 각각 몇 마리인지는 모르겠어.

 : 학과 거북의 수를 가정해서 해결할 수 있어.

● 학과 거북이 모두 7마리입니다. 다음과 같이 가정하였을 때, 학과 거북의 수를 각각 구하세요.

[가정 1] 학이 **1**마리 , 거북이 **6**마리

학의 다리 ☐ 개, 거북의 다리 ☐ 개 ➡ 다리는 모두 ☐ 개

[가정 2] 학이 **2**마리 , 거북이 **5**마리

학의 다리 ☐ 개, 거북의 다리 ☐ 개 ➡ 다리는 모두 ☐ 개

[가정 3] 학이 **3**마리 , 거북이 **4**마리

학의 다리 ☐ 개, 거북의 다리 ☐ 개 ➡ 다리는 모두 ☐ 개

따라서 학은 ☐ 마리, 거북은 ☐ 마리입니다.

두발자전거와 세발자전거가 모두 5대이고, 바퀴는 모두 13개입니다. 두발자전거와 세발자전거는 각각 몇 대입니까? 그림 그려 해결합니다.

두발자전거: ⬚ 대, 세발자전거: ⬚ 대

그림 그려 해결하기

학과 거북이 모두 **6**마리, 다리는 **20**개

① 동그라미 **6**개 그리기

② 모두 학이라고 생각하여 동그라미에 다리 **2**개씩 그리기

③ 다리가 모두 **20**개가 되도록 동그라미에 다리 **2**개씩 더 그리기

④ 다리가 **2**개인 동그라미는 학, 다리가 **4**개인 동그라미는 거북이므로 학은 **2**마리, 거북은 **4**마리입니다.

....

1. 학과 거북의 마리 수만큼 동그라미를 그립니다.

2. 6마리가 모두 학이라면 다리는 12개, 실제 다리 수보다 8개 적습니다.

3. 거북의 다리가 4개이므로 차이나는 다리 수 8개만큼 다리를 2개씩 더 그립니다.

예제 1

농장에 있는 닭과 토끼는 모두 **9**마리입니다. 다리가 모두 **22**개일 때, 닭과

토끼는 각각 몇 마리일까요? 그림 그려 해결합니다.

◯ ◯ ◯ ◯ ◯ ◯ ◯ ◯ ◯

닭: ☐ 마리, 토끼: ☐ 마리

예제 2

지호는 구급차와 세발자전거 모형을 모두 **8**개 만들려고 합니다. 지호가 가진 바퀴의 개수가 모두

29개라면 세발자전거를 몇 개 만들 수 있습니까?

지호는 2점짜리와 5점짜리 문제를 모두 6개 풀어서 21점을 받았습니다. 2점과 5점짜리 문제를 각각 몇 개씩 맞혔는지 구하세요. 표를 그려서 해결합니다.

2점짜리 문제	6					
5점짜리 문제	0					
점수						

2점짜리 문제: ☐ 개, 5점짜리 문제: ☐ 개

표 그려 해결하기

2점짜리와 3점짜리 문제 모두 5개, 14점

2점짜리 문제	5	4	3	2	1	0
3점짜리 문제	0	1	2	3	4	5
점수	10	11	12	13	14	15

+1 +1 +1 +1

2점짜리 문제: ☐ 개

3점짜리 문제: ☐ 개

1. 2점짜리 문제의 개수가 줄고 3점짜리 문제의 개수가 늘어나면 점수가 높아집니다.

2. 점수의 변화를 이용하여 답을 빠르게 찾을 수 있습니다.

3. 답이 나오면 표를 모두 채우지 않아도 됩니다.

예제 1

예원이는 다트를 던져 과녁 맞히기 게임을 합니다. 노란색 과녁을 맞히면
2점, 빨간색 과녁을 맞히면 1점을 얻습니다. 다트 5개를 던져 8점을 얻었
다면 예원이는 노란색 과녁에 다트를 몇 번 맞힌 것입니까?

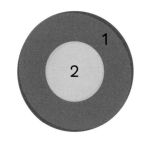

노란색 과녁					
빨간색 과녁					
점수					

예제 2

어느 퀴즈 대회에서는 정답을 맞히면 3점을 받고, 틀리면 1점을 감점합니다. 민서가 이 대회에서
8 문제를 풀고 16점을 받았습니다. 민서가 맞힌 문제는 모두 몇 개입니까?

맞힌 문제					
틀린 문제					
점수					

1 구슬이 2개씩 들어 있는 상자와 구슬이 3개씩 들어 있는 상자가 있습니다. 상자는 5개, 구슬은 모두 12개일 때 구슬이 2개 있는 상자와 구슬이 3개 있는 상자의 개수를 각각 구하세요.

구슬이 2개 있는 상자: ☐ 개, 구슬이 3개 있는 상자: ☐ 개

2 돼지 저금통에 들어 있는 10원짜리 동전과 50원짜리 동전은 모두 6개이고, 금액은 100원입니다. 10원짜리 동전과 50원짜리 동전이 각각 몇 개씩 있습니까?

10원짜리 동전: ☐ 개, 50원짜리 동전: ☐ 개

3 예원이와 지호가 가위바위보를 하여 이기면 쿠키 3개, 지면 쿠키 1개를 갖습니다. 가위바위보를 모두 7번 하여 예원이가 쿠키를 13개 얻었다면 예원이는 모두 몇 번 이긴 것입니까?

4 개미의 다리는 6개, 거미의 다리는 8개입니다. 곤충 채집통 안에 있는 개미와 거미는 모두 4마리, 다리는 모두 26개입니다. 거미는 몇 마리입니까?

5 어느 대회에 참가한 농구팀과 배구팀은 모두 7팀이고, 선수는 모두 38명입니다. 농구팀은 한 팀에 5명, 배구팀은 한 팀에 6명이라고 할 때, 대회에 참가한 농구팀은 모두 몇 개입니까?

6 민서는 다음과 같은 과녁에 화살을 8번 쏘아 모두 맞히고, 28점을 얻었습니다. 민서는 2점짜리 과녁과 5점짜리 과녁을 각각 몇 번씩 맞힌 것입니까?

2점짜리 과녁: ☐ 번

5점짜리 과녁: ☐ 번

7 어느 학교 수학 경시대회에서는 문제를 맞히면 5점을 받고, 문제를 틀리면 2점을 감점합니다. 지호가 모두 7 문제를 풀고 14점을 받았다면, 맞힌 문제는 몇 개입니까?

8 지호는 친구 6명과 사탕을 2개 또는 3개씩 나누어 가졌습니다. 나누어 가진 사탕이 모두 20개라고 할 때, 사탕 2개를 받은 사람은 모두 몇 명입니까?

1 민서는 어린이 퀴즈 대회에 참가하여 5 문제를 풀었습니다. 기본 점수는 30점이고 한 문제를 맞히면 4점을 받고, 틀리면 1점을 감점합니다. 민서가 이 대회에서 40점을 받았다면 맞힌 문제는 몇 개입니까?

2 농장에 있는 오리와 돼지, 젖소는 모두 8마리, 다리는 모두 26개입니다. 오리와 돼지의 마리 수가 같다고 할 때 젖소는 몇 마리입니까?

● 작은 운동회에 여덟 가족이 모였습니다. 각 가족은 3명 또는 4명이고, 한 가족만 5명입니다. 모인 사람이 모두 28명이라고 할 때, 3명인 가족은 모두 몇 가족입니까?

● 어느 모둠의 학생 12명이 귤 12개를 나누어 먹습니다. 남학생 2명이 귤 1개를 먹고, 여학생 1명이 귤 2개를 먹습니다. 남학생은 몇 명입니까?

07

재치있게 해결하기

재치있게 해결하기

지호   예원

Math story teller

 : 지호야, 내가 재미있는 문제를 하나 낼게.

6 m 높이의 우물 바닥에 달팽이가 한 마리 있어. 낮에는 2 m를 올라가고 밤에는 1 m 를 미끄러져 내려가. 이 달팽이가 우물을 빠져나오려면 며칠이 걸릴까?

 : 너무 쉽잖아. 달팽이가 2 m를 올라가고 1 m를 내려오면, 하루에 1 m씩 올라가는 셈이 니까 6일이 걸리지.

 : 다시 생각해 봐.

● 달팽이가 이동하는 길을 생각하여 우물에서 나오는 데 며칠 걸리는지 구하세요.

달팽이의 낮과 밤의 위 치를 표로 나타내 봐.

일	1일	2일	3일	4일	5일
낮					
밤					

민서는 어느 가게에서 음료수 6병을 샀습니다. 이 가게에서는 빈 병 2개를 가져오면 음료수 1병으로 바꾸어 줍니다. 민서는 음료수를 최대 몇 병까지 마실 수 있습니까?

빈 병 바꾸기

빈 병 3개를 음료수 1병으로 바꿔 줄 때

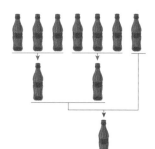

7병

2병

1병 ➡ 마실 수 있는 음료수: 7 + 2 + 1 = 10(병)

1. 빈 병을 바꾸어 받은 음료수를 마시면 다시 빈 병이 생깁니다.

2. 새로 생긴 빈 병을 모아 다시 음료수를 받습니다.

예제 1

어느 가게에서는 빈 병 3개를 가져오면 음료수 1병을 줍니다. 민서네 모둠에서 빈 병 9개를 모아 바꿀 수 있을 때까지 음료수로 바꾸었습니다. 새로 받은 음료수로 모둠의 친구들이 모두 음료수 1병씩을 먹을 수 있었다면 민서네 모둠은 모두 몇 명입니까?

음... 바꾸고 바꾸면 몇 병이지?

예제 2

어느 가게에서는 500원짜리 음료수의 빈 병 2개를 가져오면 새 음료수 1개를 줍니다. 지호가 2000원으로 가게에 가서 먹을 수 있는 음료수는 최대 몇 병입니까?

어느 연못의 개구리밥의 개수는 매일 전날의 2배가 됩니다. 개구리밥이 10일째 되는 날 연못 전체를 덮는다면 연못의 반을 덮는 날은 며칠째입니까?

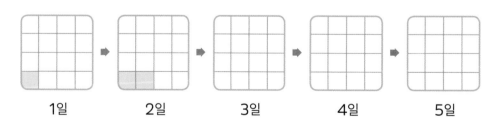

2배 문제 해결하기

매일 2배가 되도록 색칠하기

1일 ➡ 2일 ➡ 3일 ➡ 4일 ➡ 5일

1. 전체를 다 채운 날의 전날 전체의 반이 채워집니다.

2. 시작이 2칸이라면 전체를 다 채우는 날이 1칸으로 시작한 날보다 하루 빨라집니다.

예제 1

어느 미생물의 수가 1시간마다 2배가 됩니다. 오후 1시에 유리병에 이 미생물 한 마리를 넣었더니 오후 9시에 유리병에 미생물이 가득 찼습니다. 이 미생물이 유리병의 절반을 채우는 데는 몇 시간이 걸립니까?

예제 2

어느 버섯의 크기가 매일 전날의 2배가 됩니다. 어느 통 안에 버섯 1개를 심으면 6일째 되는 날 통을 가득 채운다고 할 때, 같은 통 안에 버섯 2개를 심으면 며칠째에 통을 가득 채웁니까?

1 애벌레 한 마리가 나무 아래에서 높이가 11 m인 나무를 기어 올라갑니다. 애벌레는 낮에는 3 m를 올라가고 밤에는 1 m를 미끄러져 내려옵니다. 애벌레가 나무 꼭대기에 올라가는데 며칠이 걸립니까?

2 어느 가게에서는 빈 요구르트 병 5개를 가져오면 새 요구르트 2개를 줍니다. 이 가게에 빈 요구르트 병 20개를 가져가면 새 요구르트 몇 개를 받을 수 있습니까?

3 재크의 콩나무는 매일 높이가 전날의 2배가 됩니다. 8월 25일에 콩나무의 높이가 80 m였습니다. 이 콩나무의 높이가 10 m였던 날은 몇 월 며칠입니까?

4 어느 미생물의 수가 1시간마다 2배가 됩니다. 미생물 1마리를 비커에 넣으면 7시간째에 비커 전체를 채웁니다. 미생물 네 마리를 같은 비커에 넣으면 몇 시간째에 비커를 모두 채웁니까?

5 어느 로봇이 앞으로 5 m, 뒤로 3 m를 반복하며 이동합니다. 로봇이 앞으로 15 m를 가려면 앞으로 5 m씩 가는 것을 모두 몇 번 해야합니까?

6 어느 연못의 개구리밥의 개수는 매일 전날의 2배가 되고, 5일째 되는 날 연못 전체를 덮을 수 있습니다. 연못의 넓이를 2배로 늘린다면 개구리밥은 며칠째 되는 날 넓이가 2배인 연못 전체를 덮을 수 있습니까?

7 예원이가 마당에 크기가 매일 전날의 2배가 되는 풀을 한 포기 심었더니, 10일째에 마당 전체를 덮었습니다. 처음에 풀을 몇 포기 심으면 8일째에 마당 전체를 덮을 수 있습니까?

8 같은 음료수를 ㉠ 가게에서는 200원, ㉡ 가게에서는 300원에 팝니다. ㉠ 가게에서는 빈 병 3개를 가져오면 새 음료수 1병을 주고, ㉡ 가게에서는 빈 병 2개를 가져오면 새 음료수 1병을 줍니다. 1200원으로 어느 가게에서 음료수를 몇 병 더 먹을 수 있습니까?

㉠

㉡

1 버섯의 크기가 매일 전날의 3배가 됩니다. 버섯 1개를 병에 넣은 후, 10일째 되는 날 그 병이 꽉 찼다고 합니다. 8일째 병을 꽉 채우기 위해서는 처음에 버섯 몇 개를 넣어야 합니까?

2 어느 요술 램프에 동전을 넣으면 동전의 개수가 매일 전날의 2배가 됩니다. 이 요술 램프에 동전 1개를 넣으면 15일째에 동전이 램프에 가득 찹니다. 10일째에 램프를 동전으로 가득 채우려면 처음에 동전을 몇 개 넣어야 합니까?

● 지원이가 마법 빗자루를 타고 **가** 마을에서 출발하여 **자** 마을까지 가는데 80일이 걸렸습니다. 지원이가 하루에 움직이는 거리는 출발해서 그 전날까지 움직인 거리만큼입니다. 지원이가 **라** 마을을 지나는 때는 출발한 지 며칠째 되는 날입니까? (단, 각 마을 사이의 거리는 모두 같습니다.)

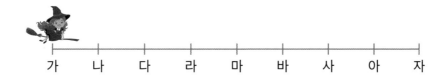

가　나　다　라　마　바　사　아　자

● 어느 미생물의 수가 2시간마다 2배가 됩니다. 이 미생물 1마리를 비커에 넣으면 8시간째에 비커의 반을 채웁니다. 비커 4개에 미생물을 1마리씩 동시에 넣는다면 몇 시간째에 비커 4개에 미생물이 모두 가득 차겠습니까?

08

리뷰

///////| **크고 작은 도형의 개수 구하기** |///////////////////////

1) 주어진 모양에서 찾을 수 있는 사각형의 종류를 나누어 생각합니다.

2) 종류별 사각형의 개수를 모두 더합니다.

1칸짜리: 4개

2칸짜리: 4개

4칸짜리: 1개 ➡ 4 + 4 + 1 = 9(개)

---

1. 다음 도형에서 찾을 수 있는 크고 작은 사각형의 개수를 구하세요.

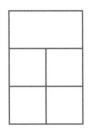 ☐ 개

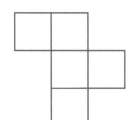 ☐ 개

---

2. 다음 도형에서 찾을 수 있는 크고 작은 삼각형의 개수를 구하세요.

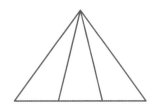 ☐ 개

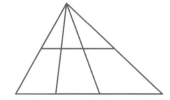 ☐ 개

점을 이어 그릴 수 있는 도형의 개수

1. 점판에 그릴 수 있는 서로 다른 모양의 사각형을 모두 생각합니다.

2. 점판 위에 위치가 다른 종류별 사각형을 몇 개씩 그릴 수 있는지 생각합니다.

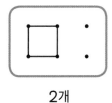 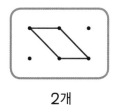 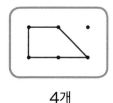 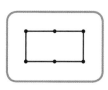

| 2개 | 2개 | 4개 | 1개 |

1. 세 변의 길이가 모두 같은 삼각형을 정삼각형이라고 합니다. 점판 위의 세 점을 이어 그릴 수 있는 정삼각형의 개수를 구하세요.

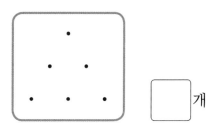 개

2. 네 변의 길이가 모두 같은 사각형을 정사각형이라고 합니다. 점판 위의 네 점을 이어 그릴 수 있는 크기가 다른 정사각형을 모두 그리고, 그릴 수 있는 각 정사각형의 개수를 구하세요.

개   개   개

| 같은 도형 이어 붙여 모양 만드는 방법 |

1. 크기가 같은 정사각형 **3**개를 이어 붙여 서로 다른 모양을 만들 때에는 정사각형 **2**개
를 이어 붙여 만든 모양을 먼저 생각합니다.

2. 정사각형 **2**개로 만든 모양에 정사각형 **1**개를 이어 붙일 수 있는 변을 찾습니다.

3. 이어 붙여 만든 모양을 돌리거나 뒤집어서 겹쳐지면 한 가지로 봅니다.

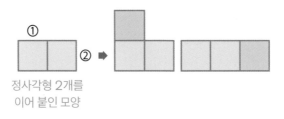

정사각형 **2**개를
이어 붙인 모양

---

1. 정삼각형 **3**개를 이어 붙여 만든 도형입니다. 이 도형 **2**개를 길이가 같은 변끼리 붙여서 만들 수 있
는 서로 다른 모양을 모두 그리세요.

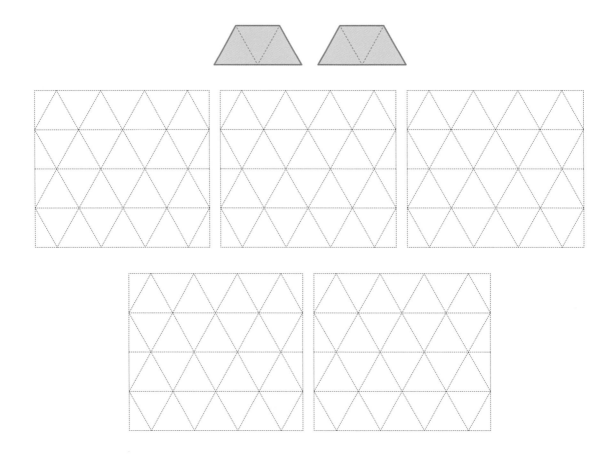

다른 모양 이어 붙여 모양 만드는 방법

1. 서로 다른 모양을 이어 붙일 때 길이가 다른 변끼리 붙이지 않도록 주의합니다.

2. 주어진 모양 중 모양 2개를 이어 붙여 만든 모양의 둘레에 나머지 모양을 붙입니다.

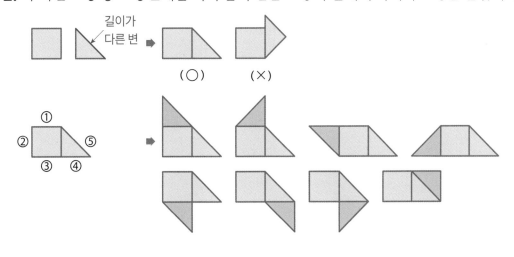

1. 정사각형 모양 색종이 2장과 그 색종이를 반으로 잘라 만든 삼각형 모양 색종이 1장이 있습니다. 이 색종이 3장을 이어 붙여 만들 수 있는 모양을 모두 그리세요. (단, 돌리거나 뒤집어서 겹쳐지는 모양은 한 가지로 봅니다.)

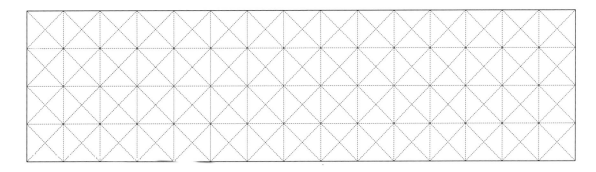

///// | **보이지 않는 쌍기나무의 개수** | /////////////////////////

1. (보이지 않는 쌍기나무의 개수) = (쌍기나무의 개수) − (보이는 쌍기나무의 개수)

2. 보이지 않는 쌍기나무의 개수는 쌍기표를 이용하여 구할 수 있습니다.

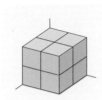

[방법1] (보이지 않는 쌍기나무의 개수) = 8 − 7 = 1(개)

[방법2] 보이지 않는 쌍기나무의 개수를 적은 쌍기표

1	0
0	0

➡ 1개

---

1. 쌍기나무로 쌓은 모양에서 보이는 쌍기나무의 개수와 보이지 않는 쌍기나무의 개수를 구하세요.

쌍기나무의 개수: ☐ 개

보이는 쌍기나무의 개수: ☐ 개

보이지 않는 쌍기나무의 개수: ☐ 개

---

2. 다음 쌍기표의 각 칸에 그 자리에 놓인 보이지 않는 쌍기나무의 개수를 쓰세요.

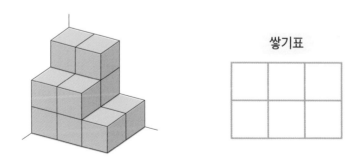

쌍기표

위, 앞, 옆에서 본 모양

1. 위에서 본 모양은 **1층**의 모양과 같습니다.

2. 앞과 옆에서 본 모양은 각 방향에서 보았을 때 각 줄의 가장 높은 층수를 나타냅니다.

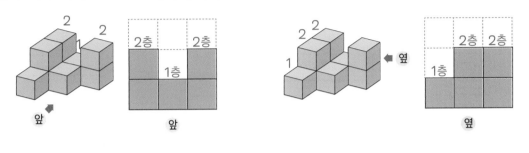

1. 쌓기나무로 쌓은 모양을 보고 위, 앞, 오른쪽 옆에서 본 모양을 그리세요.

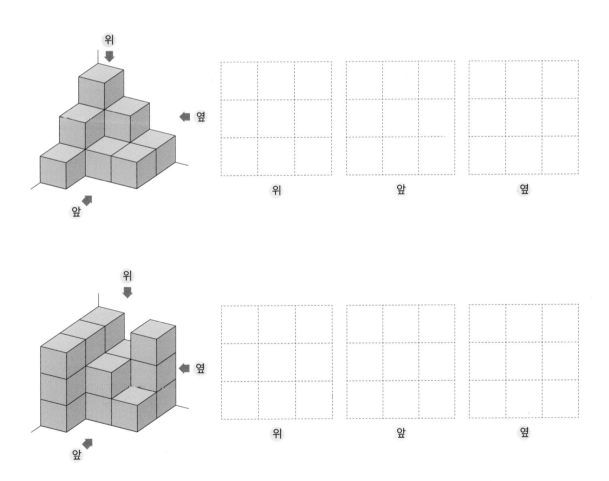

길이의 합으로 잴 수 있는 길이 찾기

1. 칸의 개수를 나누어 잴 수 있는 길이를 생각합니다.

2. 이웃한 칸의 길이만 더하여 길이를 잴 수 있습니다.

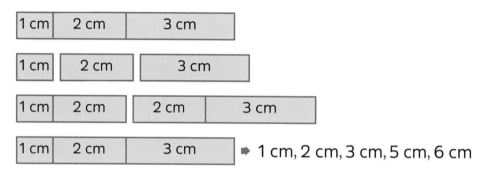

➡ 1 cm, 2 cm, 3 cm, 5 cm, 6 cm

1. 다음과 같이 눈금 사이의 간격만을 알 수 있는 막대가 있습니다. 이 막대를 이용해 잴 수 있는 길이를 모두 구하세요.

3 cm	1 cm	4 cm

2. 눈금이 지워진 오래된 자가 있습니다. 1 cm부터 10 cm까지의 길이를 1 cm 간격으로 모두 재려고 할 때, 잴 수 없는 길이를 모두 쓰세요.

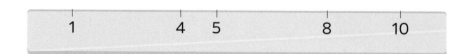

길이의 합과 차로 잴 수 있는 길이 찾기

1. 막대의 연결 부분을 펴면 길이의 합을 이용하여 길이를 잴 수 있습니다.

2. 막대의 연결 부분을 접으면 길이의 차을 이용하여 길이를 잴 수 있습니다.

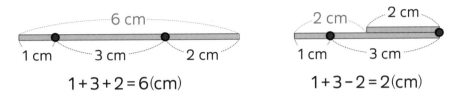

$$1+3+2=6(cm)$$

$$1+3-2=2(cm)$$

1. 길이가 1 cm, 3 cm, 5 cm인 막대가 있습니다. 이 막대를 이용하여 잴 수 있는 길이는 모두 몇 가지입니까?

1 cm	3 cm	5 cm

2. 다음은 길이가 2 cm, 6 cm, 3 cm인 막대가 연결되어 있는 연결자입니다. 연결된 부분을 자유롭게 돌려 1 cm부터 11 cm까지의 길이를 1 cm 간격으로 잴 때, 잴 수 없는 길이를 쓰세요.

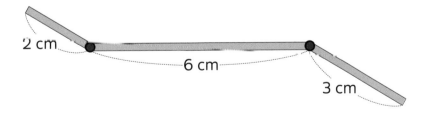

간격의 수와 나무의 수의 관계

1. 곧은 길에 나무를 심는 경우 (나무의 수) = (간격의 수) + 1입니다.

간격: **4**개

나무: **4** + **1** = **5**(그루)

2. 원 모양 길에 나무를 심는 경우 (나무의 수) = (간격의 수)입니다.

간격: **5**개

나무: **5** 그루

---

1 거리가 50 m인 곧은 길과 둘레가 100 m인 원 모양 트랙이 있습니다. 곧은 길과 트랙의 둘레에 5 m 간격으로 깃발을 꽂으려고 합니다. 각각 깃발이 몇 개씩 필요한지 구하세요. (단, 곧은 길의 처음부터 끝까지 깃발을 꽂습니다.)

개

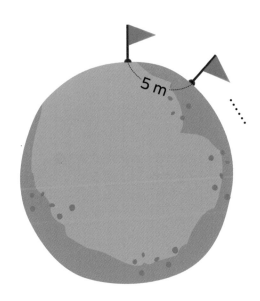

개

자른 횟수와 도막 개수의 관계

통나무를 자를 때 (통나무의 도막 개수) = (통나무를 자른 횟수) + 1입니다.

자른 횟수: **4**번
도막 개수: 4 + 1 = 5(개)

자른 횟수: **5**번
도막 개수: 5 + 1 = 6(개)

---

1. 통나무를 잘라서 만든 도막의 개수가 다음과 같을 때, 통나무를 자른 횟수를 구하세요.

(1) 통나무 도막 **2**개: 자른 횟수 ☐ 번

(2) 통나무 도막 **7**개: 자른 횟수 ☐ 번

2. 지호네 학교는 수요일에는 1교시부터 4교시까지 수업을 합니다. 한 교시 수업하고 쉬는 시간이 10분씩 있다고 할 때, 수요일의 쉬는 시간은 모두 몇 분입니까?

3. 민서가 엘리베이터를 타고 6층에서 9층까지 올라가는데 모두 12초가 걸렸습니다. 민서가 한 층을 올라가는데 걸린 시간은 몇 초입니까? (단, 한 층을 올라가는데 걸리는 시간은 모두 같습니다.)

| 그림 그려 해결하기 |

두발자전거와 세발자전거가 모두 5대, 바퀴가 13개일 때, 그림을 그려 두발자전거와 세발자전거가 각각 몇 대씩 있는지 구할 수 있습니다.

1. 자전거의 수만큼 동그라미를 그립니다.

2. 모두 두발자전거라고 생각하여 동그라미에 모두 바퀴를 2개씩 그립니다.

3. 바퀴가 모두 13개가 되도록 동그라미에 바퀴를 1개씩 더 그립니다.

두발자전거: 2대
세발자전거: 3대

1 농장에 오리와 강아지 8마리가 있습니다. 다리가 모두 22개일 때, 오리와 강아지는 각각 몇 마리입니까?

오리: ☐마리, 강아지: ☐마리

2. 귀뚜라미의 다리는 6개, 거미의 다리는 8개입니다. 귀뚜라미와 거미가 모두 6마리이고 다리는 40개일 때, 귀뚜라미와 거미는 각각 몇 마리일까요?

귀뚜라미: ☐마리, 거미: ☐마리

3. 친구 4명이 가위바위보를 합니다. 바위를 낸 사람은 없고, 친구들이 낸 손가락의 수를 모두 더하면 14개입니다. 가위를 낸 사람은 모두 몇 명입니까?

표 그려 해결하기

오른쪽 다트판에 다트 6개를 던져 10점을 얻었을 때, 표를 그려
2점 과녁과 1점 과녁을 각각 몇 개씩 맞혔는지 구할 수 있습니다.

1점짜리 과녁	6	5	4	3	2	1	0
2점짜리 과녁	0	1	2	3	4	5	6
점수	6	7	8	9	10	11	12

1점짜리 과녁: 2번, 2점짜리 과녁: 4번

1. 어느 퀴즈 대회의 기본 점수는 10점이고, 맞히면 3점을 받고 틀리면 1점을 감점합니다. 민서가 이 대회에서 8 문제를 풀고 14점을 받았습니다. 민서가 맞힌 문제는 모두 몇 개입니까?

맞힌 문제							
틀린 문제							
점수							

2. 지호는 형과 게임을 하여 이기면 구슬 4개, 지면 구슬 1개를 받습니다. 모두 9번 게임하여 지호가 구슬 30개를 받았다면 지호는 모두 몇 번 이긴 것입니까?

빈 병 바꾸기

빈 병 2개를 새 음료수 1병으로 바꿔줄 때, 빈 병 5개로 얻을 수 있는 새 음료수의 개수를 구할 수 있습니다.

1. 빈 병을 바꾸어 얻은 음료수를 마신 후 다시 빈 병으로 바꿀 수 있습니다.

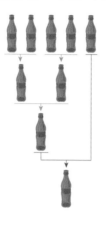

2병

1병

1병 ➡ 2 + 1 + 1 = 4(병)

---

1. 어느 가게에서는 빈 병 3개를 가져오면 새 음료수 1병을 줍니다. 이 가게에 빈 병 15개를 가져가면 새 음료수를 몇 병 받을 수 있습니까?

2. 어느 가게에서 300원짜리 요구르트를 팝니다. 빈 요구르트 병 2개를 가져가면 새 요구르트 1개를 줍니다. 지한이가 900원으로 요구르트를 산다고 할 때, 지한이가 먹을 수 있는 요구르트는 최대 몇 개입니까?

2배 문제 해결하기

1. 개구리밥의 개수가 매일 전날의 2배가 된다고 할 때, 개구리밥이 연못 전체를 다 덮는 날의 전날 개구리밥이 연못의 반을 덮습니다.

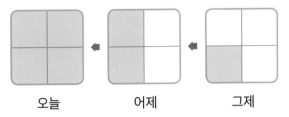

오늘   어제   그제

2. 개구리밥 2개가 자라서 연못 전체를 다 덮는 날은 개구리밥 1개가 연못 전체를 다 덮는 날보다 하루 빠릅니다.

---

1. 어느 미생물의 수가 1시간마다 2배가 됩니다. 미생물 1마리를 비커에 넣으면 5시간째에 비커 전체를 채웁니다. 미생물이 비커의 반을 채우는 데 몇 시간이 걸립니까?

2. 어느 연못의 개구리밥의 개수는 매일 전날의 2배가 됩니다. 개구리밥 1개를 연못에 넣으면 100일째 되는 날 개구리밥이 연못 전체를 다 덮습니다. 이 연못에 개구리밥 2개를 넣으면 연못 전체를 다 덮는데 모두 며칠이 걸립니까?

Memo

영재
사고력수학
필즈

초등학교 2, 3학년을 위한

입문 중 _ 도형·측정, 문제 해결 방법

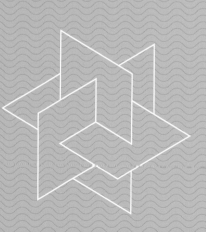

매쓰러닝

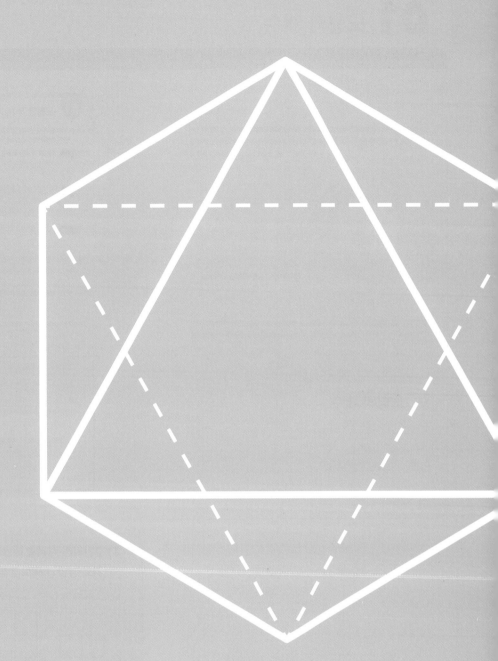

정답 및 해설

01 도형의 개수

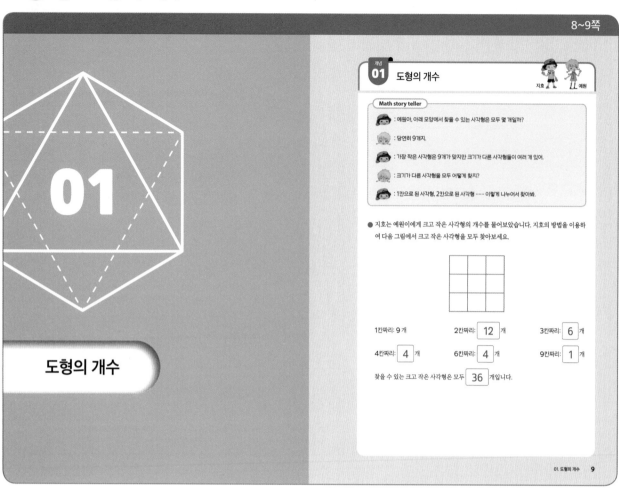

개념 01 도형의 개수

지호 예원

Math story teller

: 예원아, 아래 모양에서 찾을 수 있는 사각형은 모두 몇 개일까?

: 당연히 9개지.

: 가장 작은 사각형은 9개지만 크기가 다른 사각형들이 여러 개 있어.

: 크기가 다른 사각형을 모두 어떻게 찾지?

: 1칸으로 된 사각형, 2칸으로 된 사각형 …… 이렇게 나누어서 찾아봐.

● 지호는 예원이에게 크고 작은 사각형의 개수를 물어보았습니다. 지호의 방법을 이용하여 다음 그림에서 크고 작은 사각형을 모두 찾아보세요.

1칸짜리: 9 개 　　2칸짜리: 12 개 　　3칸짜리: 6 개

4칸짜리: 4 개 　　6칸짜리: 4 개 　　9칸짜리: 1 개

찾을 수 있는 크고 작은 사각형은 모두 36 개입니다.

---

1) 2칸짜리 사각형과 3칸짜리 사각형, 6칸짜리 사각형은 가로 방향과 세로 방향으로 나누어 찾습니다.

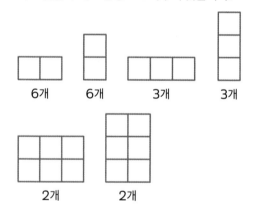

6개　　6개　　3개　　3개

2개　　2개

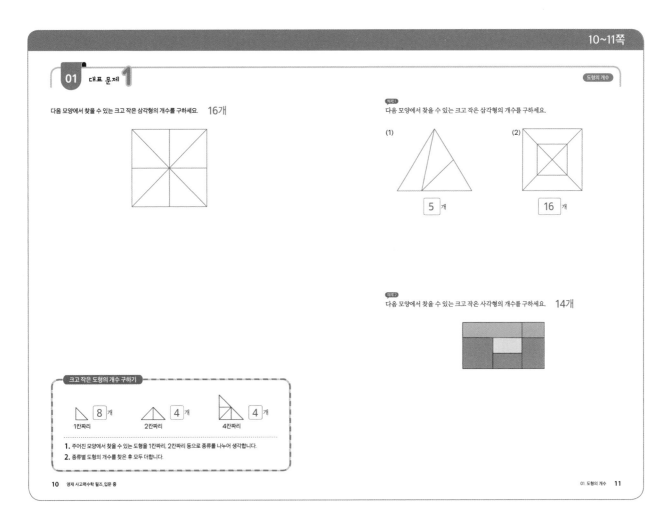

예제 1

(1) 1칸짜리: 3개
2칸짜리: 1개
3칸짜리: 1개
➡ 3 + 1 + 1 = 5(개)

(2) 1칸짜리: 4개
2칸짜리: 8개
4칸짜리: 4개
➡ 4 + 8 + 4 = 16(개)

예제 2

1칸짜리: 6개
2칸짜리: 3개
3칸짜리: 2개
4칸짜리: 2개
6칸짜리: 1개 ➡ 6 + 3 + 2 + 2 + 1 = 14(개)

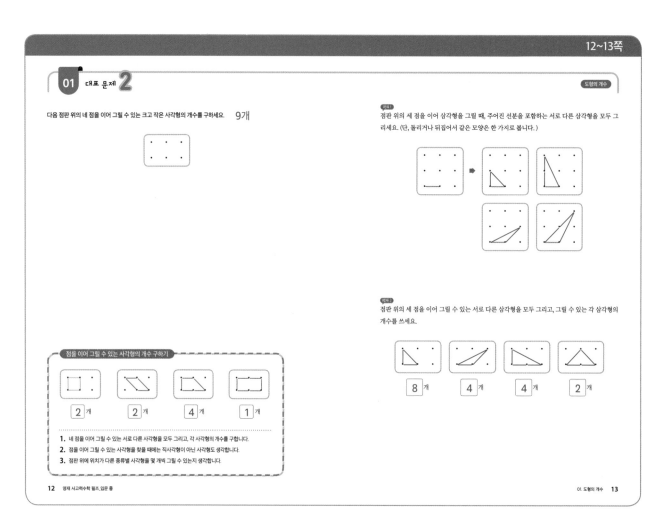

01 대표 문제 2

도형의 개수

다음 점판 위의 네 점을 이어 그릴 수 있는 크고 작은 사각형의 개수를 구하세요.　9개

점판 위의 세 점을 이어 삼각형을 그릴 때, 주어진 선분을 포함하는 서로 다른 삼각형을 모두 그리세요. (단, 돌리거나 뒤집어서 같은 모양은 한 가지로 봅니다.)

점판 위의 세 점을 이어 그릴 수 있는 서로 다른 삼각형을 모두 그리고, 그릴 수 있는 각 삼각형의 개수를 쓰세요.

8 개　　4 개　　4 개　　2 개

점을 이어 그릴 수 있는 사각형의 개수 구하기

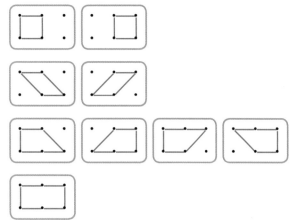

2 개　　2 개　　4 개　　1 개

1. 네 점을 이어 그릴 수 있는 서로 다른 사각형을 모두 그리고, 각 사각형의 개수를 구합니다.
2. 점을 이어 그릴 수 있는 사각형을 찾을 때에는 직사각형이 아닌 사각형도 생각합니다.
3. 점 위에 위치가 다른 종류별 사각형을 몇 개씩 그릴 수 있는지 생각합니다.

예제 1

1) 주어진 선분을 포함하여 나머지 꼭짓점이 될 수 있는 점을 찾습니다.
2) ①은 삼각형을 만들 수 없습니다. ②와 ③은 같은 모양이 됩니다. ⑤와 ⑥은 같은 모양입니다.

01 확인 문제

1 다음 모양에서 찾을 수 있는 크고 작은 사각형의 개수를 구하세요.

(1)

12 개

(2)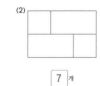

7 개

3 점판 위의 세 점을 이어 그릴 수 있는 크고 작은 삼각형의 개수를 구하세요. 9개

2 다음 모양에서 찾을 수 있는 크고 작은 삼각형의 개수를 구하세요. 9개

4 다음 모양에서 선을 따라 그릴 수 있는 삼각형과 사각형의 개수를 각각 구하세요.

삼각형: 5 개, 사각형: 6 개

---

1 **(1)** 1칸짜리: 5개   **(2)** 1칸짜리: 4개
　　 2칸짜리: 5개 　　　　　 2칸짜리: 2개
　　 3칸짜리: 1개 　　　　　 4칸짜리: 1개
　　 4칸짜리: 1개
　　 ➡ 5 + 5 + 1 + 1 = 12(개) ➡ 4 + 2 + 1 = 7(개)

2 1칸짜리: 5개
　 2칸짜리: 3개
　 3칸짜리: 1개 ➡ 5 + 3 + 1 = 9(개)

3
 3개
 4개
 2개
➡ 3 + 4 + 2 = 9(개)

4 크기와 모양에 따라 찾습니다.
　 [삼각형] 1조각짜리: 4개, 4조각짜리: 1개

　 [사각형] 2조각짜리: 3개, 3조각짜리: 3개

01 확인 문제

5 다음 모양에서 ♥를 포함하는 크고 작은 사각형의 개수를 구하세요. 7개

7 다음 모양에서 선을 따라 그릴 수 있는 삼각형 중 2조각으로 만들어지는 삼각형과 3조각으로 만들어지는 삼각형의 개수의 차를 구하세요. 0

6 다음 모양에서 찾을 수 있는 크고 작은 삼각형의 개수를 구하세요. 27개

8 세 변의 길이가 모두 같은 삼각형을 정삼각형이라고 합니다. 점판 위의 세 점을 이어 그릴 수 있는 크기가 다른 정삼각형을 모두 그리고, 그릴 수 있는 각 정삼각형의 개수를 구하세요.

   9 개

  3 개

  2 개

  1 개

---

5 1칸짜리: 1개
2칸짜리: 2개
3칸짜리: 2개
4칸짜리: 1개
6칸짜리: 1개 ➡ 1 + 2 + 2 + 1 + 1 = 7(개)

6

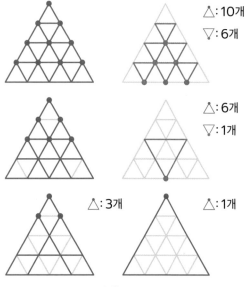

△ : 10개
▽ : 6개

△ : 6개
▽ : 1개

△ : 3개

△ : 1개

➡ 16 + 7 + 3 + 1 = 27(개)

7 **1)** 2조각짜리 삼각형은 큰 오각형의 각 꼭짓점마다 2개씩 모두 10개입니다.

2) 3조각짜리 삼각형은 큰 오각형의 꼭짓점마다 1개씩, 작은 오각형의 꼭짓점마다 1개씩, 모두 10개입니다.

5개   5개

3) 개수의 차는 10 − 10 = 0(개)입니다.

01 심화 문제
도형의 개수

1 다음 모양에서 찾을 수 있는 크고 작은 사각형은 모두 몇 개인지 구하세요. **34개**

2 네 변의 길이가 모두 같은 사각형을 정사각형이라고 합니다. 점판 위의 네 점을 이어 그릴 수 있는 크기가 다른 정사각형을 모두 그리고, 각 정사각형의 개수를 구하세요.

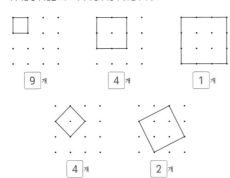

9 개 4 개 1 개

4 개 2 개

01 경시 기출 유형
도형의 개수

● **보기** 는 점판 위에 직사각형을 그리고, 직사각형이 지나는 점의 개수를 구한 것입니다. 다음 점판 위에 점 12개를 지나는 직사각형을 모두 몇 개 그릴 수 있습니까? (단, 모양이 같더라도 위치가 다른 직사각형은 다른 것으로 봅니다.) **10개**

보기

사각형이 지나는 점: 4개 | 사각형이 지나는 점: 8개

● 다음 그림에서 선을 따라 그릴 수 있는 삼각형과 사각형의 개수를 차례로 쓰세요. **8개, 13개**

---

1 **1)** 대각선을 포함하지 않는 사각형의 개수를 구합니다.
1칸짜리: 8개, 2칸짜리: 10개, 3칸짜리: 4개,
4칸짜리: 5개, 6칸짜리: 2개, 8칸짜리: 1개

2) 대각선을 한 변으로 하는
사각형의 개수를 구합니다.
2칸짜리: 3개, 3칸짜리: 1개

3) 1), 2)에서 찾은 도형의 개수를 모두 더합니다.
$8 + 10 + 4 + 5 + 2 + 1 + 3 + 1 = 34(개)$

● 점 12개를 지나는 사각형은 다음과 같이 3가지입니다.

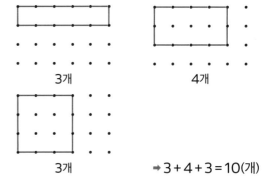

3개   4개

3개   ➡ $3 + 4 + 3 = 10(개)$

● **1)** 삼각형의 개수
1칸짜리: 6개
2칸짜리: 2개(ⓛ, ⓒ / ⓔ, ⓜ)

2) 사각형의 개수
2칸짜리: 3개(㉠, ⓛ / ⓒ, ⓔ / ⓜ, ⓗ)
3칸짜리: 4개(㉠, ⓛ, ⓒ / ⓛ, ⓒ, ⓔ / ⓒ, ⓔ, ⓜ
                / ⓔ, ⓜ, ⓗ)
4칸짜리: 3개(㉠, ⓛ, ⓒ, ⓔ / ⓛ, ⓒ, ⓔ, ⓜ
                / ⓒ, ⓔ, ⓜ, ⓗ)
5칸짜리: 2개(㉠, ⓛ, ⓒ, ⓔ, ⓜ / ⓛ, ⓒ, ⓔ, ⓜ, ⓗ)
6칸짜리: 1개

3) 삼각형은 모두 8개, 사각형은 모두 13개입니다.

정답 및 해설 **7**

02 도형 붙이기

02

도형 붙이기

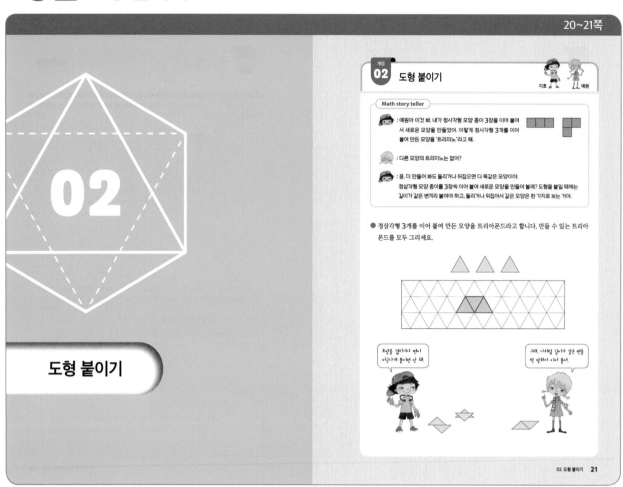

02 대표 문제 1

정사각형 4개를 이어 붙여 만든 모양을 테트로미노라고 합니다. 테트로미노를 모두 그리세요. 몇 가지입니까?   **5가지**

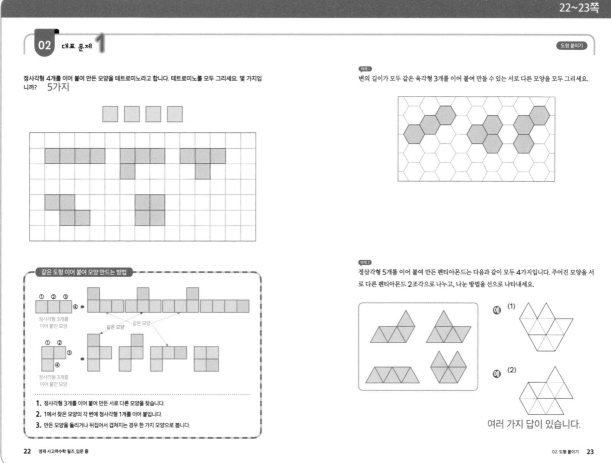

예제 1
변의 길이가 모두 같은 육각형 3개를 이어 붙여 만들 수 있는 서로 다른 모양을 모두 그리세요.

예제 2
정삼각형 5개를 이어 붙여 만든 펜티아몬드는 다음과 같이 모두 4가지입니다. 주어진 모양을 서로 다른 펜티아몬드 2조각으로 나누고, 나눈 방법을 선으로 나타내세요.

예 (1)

예 (2)

여러 가지 답이 있습니다.

예제 1

1) 육각형 2개를 이어 붙여 만든 모양의 각 변에 한 개씩 붙여가며 서로 다른 모양을 찾습니다.

2) 육각형 한 개를 더 붙이는 방법은 파란색 변, 빨간색 변, 노란색 변에 붙이는 3가지 방법이 있습니다.

예제 2

펜티아몬드 조각으로 모양을 만든 방법을 찾을 때에는 가장 복잡해 보이는 펜티아몬드 조각의 위치를 먼저 생각합니다.

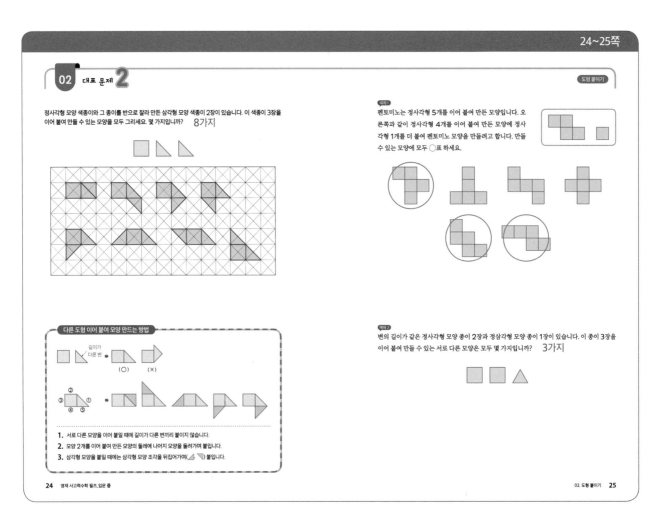

1) 정사각형 모양과 삼각형 모양 1개를 이어 붙인 모양의 각 변에 남은 삼각형 모양 조각 1개를 붙입니다.

2) 1)에서 붙인 삼각형 모양 조각을 위 또는 옆으로 뒤집어 가며 붙입니다.

3) 만든 모양에서 돌리거나 뒤집어 같은 모양은 한 가지로 봅니다.

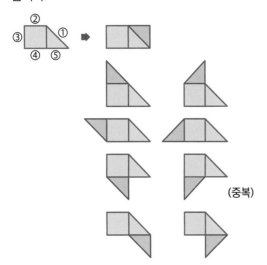

예제 1

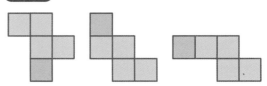

예제 2

사각형 모양과 삼각형 모양 1개를 이어 붙인 모양의 각 변에 남은 정사각형 조각을 붙입니다.

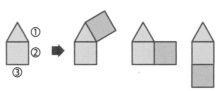

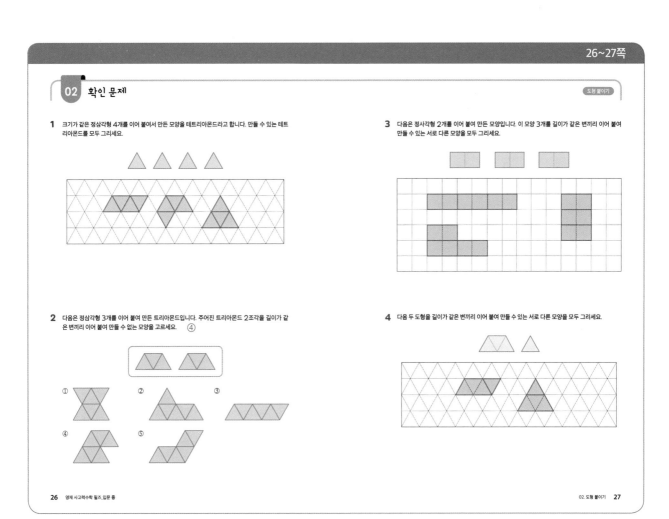

1 정삼각형 3개를 이어 붙인 모양의 각 변에 남은 정삼각형 조각을 붙입니다.

2 트리아몬드 2조각을 이어 붙인 방법은 다음과 같습니다.

4 정삼각형 3조각을 이어 붙어 만든 모양에 정삼각형 1개를 이어 붙일 때에는 변의 길이가 같은 변에만 붙이는 것에 주의합니다.

02 확인 문제

5 주어진 모양 조각 4개를 모두 이어 붙여 다음과 같은 모양을 만들었습니다. 이어 붙인 방법을 선으로 나타내세요.

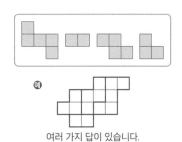

예

여러 가지 답이 있습니다.

6 변의 길이가 같은 정사각형 모양 종이 1장과 정삼각형 모양 종이 2장이 있습니다. 이 종이 3장을 이어 붙여 만들 수 있는 서로 다른 모양은 모두 몇 가지입니까? 3가지

7 다음 두 모양은 크기가 같은 정사각형을 이어 붙여 만들었습니다. 이 두 모양을 길이가 같은 변끼리 이어 붙여 만들 수 있는 서로 다른 모양을 모두 그리세요.

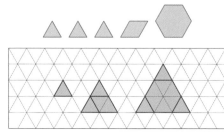

8 다음은 변의 길이가 모두 같은 삼각형, 사각형, 육각형 조각입니다. 이 모양 조각을 사용하여 만들 수 있는 서로 다른 삼각형을 모두 그리세요. 몇 가지입니까? (단, 모든 조각을 사용하지 않아도 되며, 붙인 자리가 달라도 돌리거나 뒤집어서 같은 모양은 한 가지로 봅니다.) 3가지

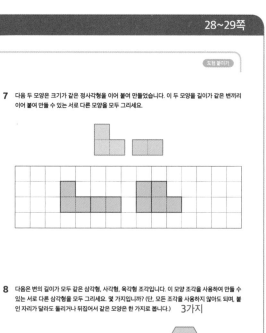

---

5 가장 복잡한 모양의 위치를 먼저 잡은 후 다른 모양의 위치를 잡습니다. 여러 가지 방법이 있을 수 있습니다.

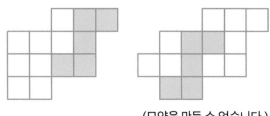

(모양을 만들 수 없습니다.)

6 사각형 모양과 삼각형 모양 1개를 이어 붙인 모양의 각 변에 남은 정삼각형 조각을 붙입니다.

7 첫 번째 모양에 다른 모양을 이어 붙일 수 있는 자리는 다음과 같습니다.

①, ②에 붙이는 경우와 ③, ④에 붙이는 경우는 각각 같은 모양입니다.

02 심화 문제 〔도형 붙이기〕

1 다음은 정사각형 모양 종이 2장을 각각 반으로 나누어 삼각형 모양을 만든 것입니다. 이 삼각형 모양 종이 4장 중 몇 장을 이어 붙여 서로 다른 모양의 사각형을 만들려고 합니다. 물음에 답하세요.

● 삼각형 모양 종이 2장을 이어 붙여 만들 수 있는 사각형을 모두 그리세요. 몇 가지입니까?　**2가지**

● 삼각형 모양 종이 3장을 이어 붙여 만들 수 있는 사각형을 모두 그리세요. 몇 가지입니까?　**2가지**

● 삼각형 모양 종이 4장을 이어 붙여 만들 수 있는 사각형을 모두 그리세요. 몇 가지입니까?　**5가지**

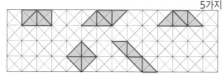

● 삼각형 모양 종이 4장 중 몇 장을 이어 붙여 만들 수 있는 사각형은 모두 몇 가지입니까?　**9가지**

02 경시 기출 유형 〔도형 붙이기〕

● 다음과 같은 종이 2장을 길이가 같은 변끼리 이어 붙여 만들 수 있는 서로 다른 모양은 모두 몇 가지입니까?　**6가지**

● 다음은 같은 크기의 정사각형 3개를 이어 붙여 만든 트리미노입니다. 트리미노 2조각을 길이가 같은 변끼리 이어 붙여 만들 수 있는 서로 다른 모양을 모두 그리세요. 몇 가지입니까?　**5가지**

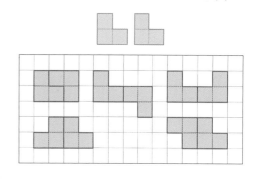

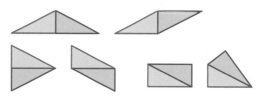

---

1 ● 삼각형 3개를 이어 붙여 사각형을 만들 때에는 삼각형 2개로 만든 모양에 삼각형 1개를 이어 붙여 만듭니다.

● 삼각형 4개를 이어 붙여 사각형을 만들 때에는 삼각형 3개로 만든 모양에 삼각형 1개를 이어 붙여 만듭니다.

● 변의 길이가 같은 곳에 삼각형을 돌려가며 붙입니다.

● 길이가 같은 변에 도형을 돌려가며 붙입니다.

①, ③에 붙이는 경우와 ④, ⑤에 붙이는 경우는 각각 같은 모양입니다.

03 쌓기나무

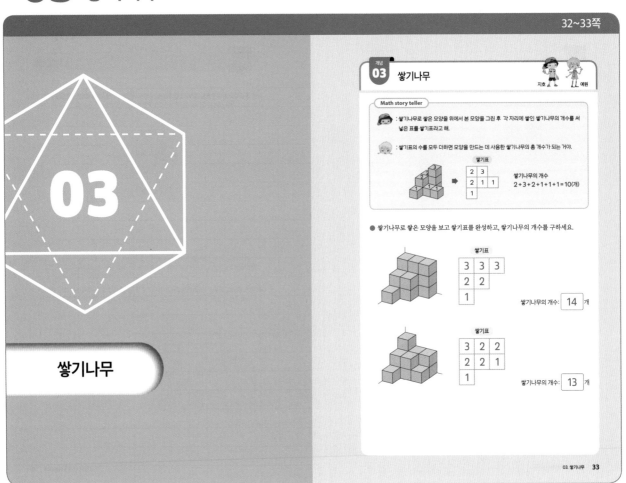

개념
03 쌓기나무

지호 예원

Math story teller

: 쌓기나무로 쌓은 모양을 위에서 본 모양을 그린 후 각 자리에 쌓인 쌓기나무의 개수를 써 넣은 표를 쌓기표라고 해.

: 쌓기표의 수를 모두 더하면 모양을 만드는 데 사용한 쌓기나무의 총 개수가 되는 거야.

쌓기표

2	3	
2	1	1
1		

쌓기나무의 개수
$2+3+2+1+1+1=10$(개)

● 쌓기나무로 쌓은 모양을 보고 쌓기표를 완성하고, 쌓기나무의 개수를 구하세요.

쌓기표

3	3	3
2	2	
1		

쌓기나무의 개수: **14** 개

쌓기표

3	2	2
2	2	1
1		

쌓기나무의 개수: **13** 개

03 대표 문제 **1**

쌓기나무

쌓기나무로 쌓은 모양에서 보이는 쌓기나무의 개수와 보이지 않는 쌓기나무의 개수를 구하세요.

쌓기나무의 개수: 13개

보이는 쌓기나무의 개수: **9** 개

보이지 않는 쌓기나무의 개수: **4** 개

쌓기나무의 개수: **11** 개

보이는 쌓기나무의 개수: **7** 개

보이지 않는 쌓기나무의 개수: **4** 개

예제1
다음 쌓기표의 각 칸에 그 자리에 놓인 쌓기나무 중 보이지 않는 쌓기나무의 개수를 쓰세요.

쌓기표

2	2	0
2	0	
0		

예제 2
쌓기나무로 쌓은 모양에서 보이는 쌓기나무와 보이지 않는 쌓기나무의 개수의 차를 구하세요.

7개

보이지 않는 쌓기나무의 개수

[방법1] 전체 쌓기나무의 개수: 10개, 보이는 쌓기나무의 개수: 8개
➡ 보이지 않는 쌓기나무의 개수: 2개

[방법2] 보이지 않는 쌓기나무의 개수를 적은 쌓기표

1	0
1	0
0	0

➡ 1 + 1 = 2(개)

1. 보이지 않는 쌓기나무는 위, 앞, 옆 어느 방향에서 보아도 보이지 않는 쌓기나무입니다.
2. (보이지 않는 쌓기나무의 개수) = (전체 쌓기나무의 개수) − (보이는 쌓기나무의 개수)
3. 쌓기표의 각 칸에 그 자리에 쌓은 쌓기나무 중 보이지 않는 쌓기나무의 개수를 쓰고, 그 수의 합을 구하여 보이지 않는 쌓기나무의 개수를 구합니다.

예제 1

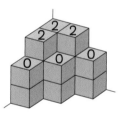

예제 2

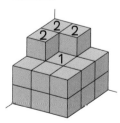

보이는 쌓기나무: 14개

보이지 않는 쌓기나무: 2 + 2 + 2 + 1 = 7(개)

➡ 14 − 7 = 7(개)

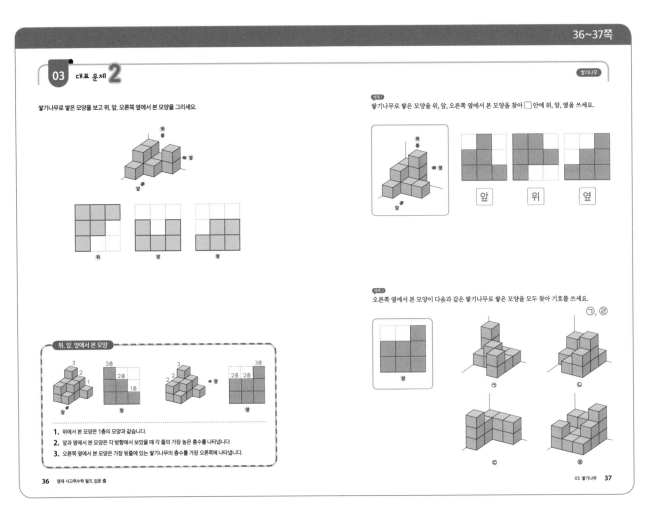

03 대표 문제 **2**

쌓기나무

쌓기나무로 쌓은 모양을 보고 위, 앞, 오른쪽 옆에서 본 모양을 그리세요.

위

옆

앞

위

앞

옆

예제 1

쌓기나무로 쌓은 모양을 위, 앞, 오른쪽 옆에서 본 모양을 찾아 ☐ 안에 위, 앞, 옆을 쓰세요.

위

옆

앞

| 앞 | 위 | 옆 |

예제 2

오른쪽 옆에서 본 모양이 다음과 같은 쌓기나무로 쌓은 모양을 모두 찾아 기호를 쓰세요.

㉠, ㉣

옆

㉠   ㉡

㉢   ㉣

위, 앞, 옆에서 본 모양

3
2
1
앞

3층
2층
1층
앞

2
3
옆

2층 2층
3층
옆

1. 위에서 본 모양은 1층의 모양과 같습니다.
2. 앞과 옆에서 본 모양은 각 방향에서 보았을 때 각 줄의 가장 높은 층수를 나타냅니다.
3. 오른쪽 옆에서 본 모양은 가장 뒷줄에 있는 쌓기나무의 층수를 가장 오른쪽에 나타냅니다.

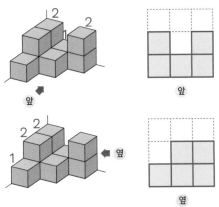

2
1 2

앞

앞

2 2
1

옆

옆

예제 1

위에서 본 모양에 쌓인 쌓기나무의 개수를 써넣어 구해 봅니다.

2	3	
2	1	1
1		

위

앞

옆

예제 2

옆에서 보았을 때 각 줄의 가장 높은 층수를 찾고, 층수 조건을 만족하는 쌓기나무로 쌓은 모양을 모두 고릅니다.

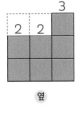

3
2 2

옆

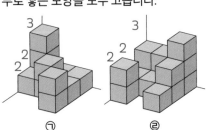

3
2
2

3
2 2

㉠   ㉣

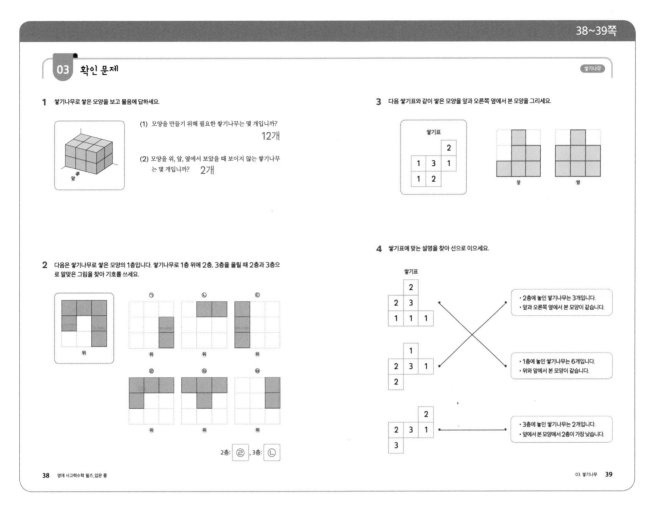

1 쌓기나무로 쌓은 모양을 만드는 데 필요한 전체 쌓기나무는 모두 12개이고, 보이는 쌓기나무는 10개입니다. 따라서 보이지 않는 쌓기나무는 12 − 10 = 2(개)입니다.

2 1) 1층에 쌓기나무가 놓인 자리 위에만 2층에 쌓기나무를 놓을 수 있습니다. 따라서 2층에 알맞은 그림은 ㉠, ㉡, ㉣, ㉺ 중 하나입니다.

2) 2층에 알맞은 그림이 ㉠, ㉡, ㉺일 때는 3층에 알맞은 그림이 없습니다. 따라서 2층에 알맞은 그림은 ㉣입니다.

3) 2층에 쌓기나무가 놓인 자리 위에만 3층에 쌓기나무를 놓을 수 있습니다. 따라서 2층에 ㉣과 같이 쌓기나무를 놓았을 때 3층에 알맞은 그림은 ㉡입니다.

3 쌓기표에서 앞과 옆에서 보았을 때 각 줄의 가장 높은 층수를 생각하여 앞과 옆에서 본 모양을 그립니다.

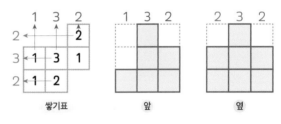

4 1) 1보다 높은 층에는 모두 2층에 쌓기나무가 있습니다. 따라서 쌓기표에 2, 3이라고 쓰인 칸의 수만큼 2층에 쌓기나무가 있습니다.

2) 쌓기표의 모양은 위에서 본 모양과 같습니다.

3) 쌓기표를 앞과 옆에서 보았을 때 각 줄의 가장 높은 층수를 생각하여 앞, 옆에서 본 모양을 생각합니다.

03 확인 문제

5 쌓기나무로 쌓은 다음 모양에 쌓기나무 몇 개를 놓아 앞과 오른쪽 옆에서 본 모양을 모두 똑같이 만들려고 합니다. 필요한 가장 적은 쌓기나무의 개수와 쌓기나무를 놓을 수 있는 자리를 모두 쓰세요.

1개, ⑦, ⑨

6 쌓기나무로 쌓은 모양을 위, 앞, 오른쪽 옆에서 본 모양입니다. 똑같은 모양을 만들기 위해 필요한 쌓기나무의 개수를 구하세요. 7개

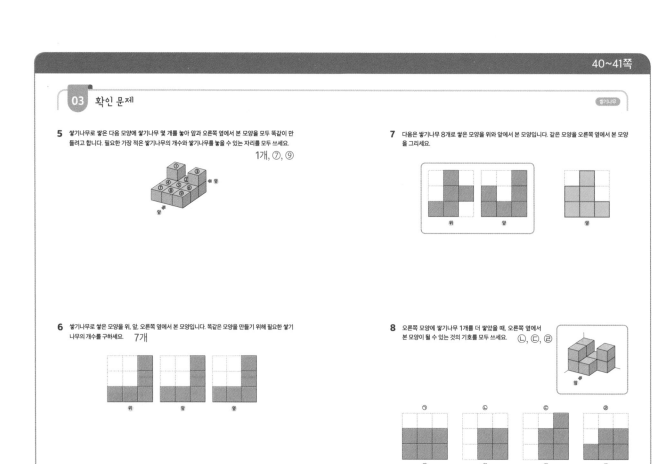

7 다음은 쌓기나무 8개로 쌓은 모양을 위와 앞에서 본 모양입니다. 같은 모양을 오른쪽 옆에서 본 모양을 그리세요.

8 오른쪽 모양에 쌓기나무 1개를 더 쌓았을 때, 오른쪽 옆에서 본 모양이 될 수 있는 것의 기호를 모두 쓰세요. ⓛ, ⓒ, ②

---

5 1) 현재 쌓기나무로 쌓은 모양을 앞과 옆에서 본 모양이 다음과 같습니다.

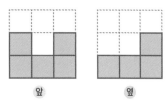

앞　　　　옆

2) 옆에서 보이는 모양을 앞에서 보이는 모양과 같아지도록 ⑦ 또는 ⑨에 쌓기나무 1개를 놓습니다.

6 1) 위에서 본 모양의 위와 왼쪽에 앞과 옆에서 본 모양의 층수를 씁니다.

2) 각 줄의 가장 높은 층이 위와 왼쪽에 있는 수가 되도록 각 칸에 알맞은 쌓기나무의 수를 씁니다.

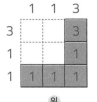

쌓기나무의 개수:

1 + 1 + 3 + 1 + 1 = 7(개)

7 1) 위에서 보이는 모양의 각 칸에 앞에서 보이는 모양의 층수를 생각하여 알맞은 수를 씁니다.

2) 위에서 보이는 모양을 쌓기표라 생각하여 옆에서 보이는 모양을 그립니다.

위

8 다음은 쌓기나무 1개를 더 놓아 옆에서 본 모양이 ⓛ, ⓒ, ②이 될 수 있는 방법 중 하나입니다.

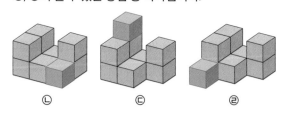

ⓛ　　　　　ⓒ　　　　　②

03 심화 문제 쌓기나무

1 다음 모양은 흰색 쌓기나무와 검은색 쌓기나무를 같은 색의 쌓기나무끼리 이웃하지 않도록 쌓은 것입니다. 사용한 검은색 쌓기나무는 몇 개입니까? **22개**

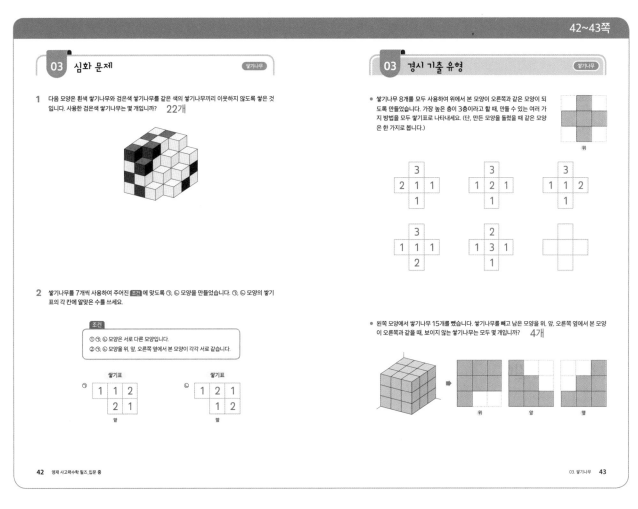

2 쌓기나무를 7개씩 사용하여 주어진 조건 에 맞도록 ㉠, ㉡ 모양을 만들었습니다. ㉠, ㉡ 모양의 쌓기표의 각 칸에 알맞은 수를 쓰세요.

> **조건**
> ① ㉠, ㉡ 모양은 서로 다른 모양입니다.
> ② ㉠, ㉡ 모양을 위, 앞, 오른쪽 옆에서 본 모양이 각각 서로 같습니다.

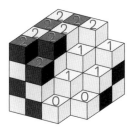

㉠ 쌓기표

1	1	2
	2	1

앞

㉡ 쌓기표

1	2	1
	1	2

앞

03 경시 기출 유형 쌓기나무

● 쌓기나무 8개를 모두 사용하여 위에서 본 모양이 오른쪽과 같은 모양이 되도록 만들었습니다. 가장 높은 층이 3층이라고 할 때, 만들 수 있는 여러 가지 방법을 모두 쌓기표로 나타내세요. (단, 만든 모양을 돌렸을 때 같은 모양은 한 가지로 봅니다.)

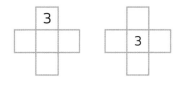

	3	
2	1	1
	1	

	3	
1	2	1
	1	

	3	
1	1	2
	1	

	3	
1	1	1
	2	

	2	
1	3	1
	1	

● 왼쪽 모양에서 쌓기나무 15개를 뺐습니다. 쌓기나무를 빼고 남은 모양을 위, 앞, 오른쪽 옆에서 본 모양이 오른쪽과 같을 때, 보이지 않는 쌓기나무는 모두 몇 개입니까? **4개**

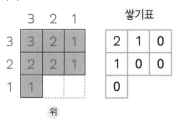

위   앞   옆

---

1 쌓기나무로 쌓은 모양의 각 줄에 그 줄에 놓인 검은색 쌓기나무의 개수를 쓰고, 합을 구합니다.

쌓기나무의 개수: $2 \times 9 + 1 \times 4 = 22$(개)

2 쌓기나무는 7개, 쌓기나무가 놓인 자리는 5개이므로 각 자리에 쌓기나무를 1개씩 놓고, 남은 쌓기나무 2개를 위, 앞, 옆에서 본 모양이 같도록 서로 다른 방법으로 놓습니다.

● 1) 가장 높은 층이 3층이고, 쌓기나무의 개수가 8개이므로 쌓기나무가 놓이는 다섯 칸 중 3층이 한 칸, 2층이 한 칸, 나머지는 모두 1층입니다.

2) 다음과 같이 두 가지 방법으로 3층인 칸을 정한 후 나머지 칸이 한 번씩 2층인 칸이 됩니다.

	3	

		3

● 1) 쌓기나무 15개를 빼면 쌓기나무 12개가 남습니다.

2) 위에서 본 모양의 위와 왼쪽에 앞과 옆에서 본 모양의 층수를 씁니다.

3) 각 칸에 알맞은 쌓기나무의 수를 씁니다.

4) 위, 앞, 옆에 다른 쌓기나무가 있으면 보이지 않는 쌓기나무가 됩니다. 쌓기표에 보이지 않는 쌓기나무를 나타냅니다.

	3	2	1
3	3	2	1
2	2	2	1
1	1		

위

쌓기표

2	1	0
1	0	0
0		

04 잴 수 있는 길이

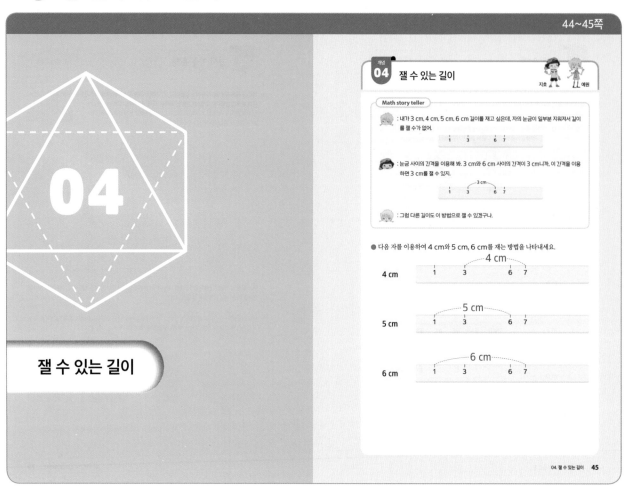

1) 7 − 3 = 4
2) 6 − 1 = 5
3) 7 − 1 = 6

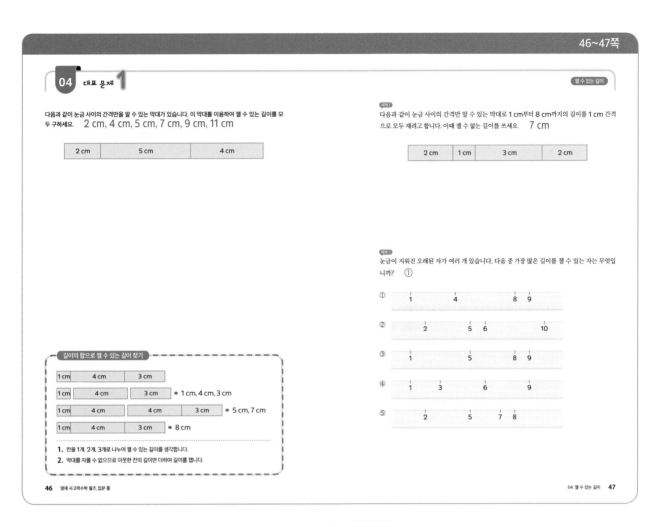

칸의 개수로 나누어 찾습니다.

1개: 2 cm, 5 cm, 4 cm

2개: 2+5=7(cm), 5+4=9(cm)

3개: 2+5+4=11(cm)

예제 1

1 cm부터 8 cm까지 잴 수 있는 방법을 구합니다.

1 cm, 2 cm, 3 cm: 한 칸으로 잽니다.

4 cm: 1+3   5 cm: 3+2

6 cm: 2+1+3   7 cm: ×

8 cm: 2+1+3+2

예제 2

각 자를 사용하여 잴 수 있는 길이는 각각 다음과 같습니다.

① 1 cm, 3 cm, 4 cm, 5 cm, 7 cm, 8 cm

② 1 cm, 3 cm, 4 cm, 5 cm, 8 cm

③ 1 cm, 3 cm, 4 cm, 7 cm, 8 cm

④ 2 cm, 3 cm, 5 cm, 6 cm, 8 cm

⑤ 1 cm, 2 cm, 3 cm, 5 cm, 6 cm

04 대표 문제 **2**

잴 수 있는 길이

다음은 길이가 1 cm, 7 cm, 2 cm인 막대가 연결되어 있는 연결자입니다. 연결된 부분을 자유롭게 돌릴 수 있을 때, 주어진 길이를 재는 방법을 식으로 나타내세요.

길이	재는 방법	길이	재는 방법
2 cm	2	7 cm	7
4 cm	7 − 1 − 2 = 4	8 cm	7 + 1 = 8
5 cm	7 − 2 = 5	9 cm	7 + 2 = 9
6 cm	7 − 1 = 6	10 cm	7 + 1 + 2 = 10

예제 1

다음은 길이가 3 cm, 6 cm, 2 cm인 막대가 연결되어 있는 연결자입니다. 연결된 부분을 자유롭게 돌려 1 cm부터 11 cm까지의 길이를 1 cm 간격으로 잴 때, 잴 수 없는 길이를 쓰세요.

10 cm

예제 2

다음 연결자를 이용하여 잴 수 있는 가장 긴 길이는 13 cm입니다. 이 연결자로 잴 수 있는 가장 짧은 길이는 몇 cm입니까? 1 cm

길이의 합과 차로 잴 수 있는 길이 찾기

합으로 구하기: 5 + 2 = 7(cm) 차로 구하기: 5 − 2 = 3(cm)

1. 막대의 연결 부분을 완전히 펴면 길이의 합을 이용하여 길이를 잴 수 있습니다.
2. 막대의 연결 부분을 접으면 길이의 차를 이용하여 길이를 잴 수 있습니다.

---

4 cm를 재는 방법은 다음과 같습니다.

예제 1

1 cm부터 11 cm까지 잴 수 있는 방법을 구합니다.

1 cm: 6 − 3 − 2	2 cm: 2
3 cm: 3	4 cm: 6 − 2
5 cm: 6 + 2 − 3	6 cm: 6
7 cm: 6 + 3 − 2	8 cm: 6 + 2
9 cm: 6 + 3	10 cm: ×
11 cm: 6 + 3 + 2	

예제 2

1) 잴 수 있는 가장 긴 길이가 13 cm이므로 ㉠은 6 cm입니다.

2) 잴 수 있는 가장 짧은 길이는 5 + 2 − 6 = 1(cm)입니다.

확인 문제

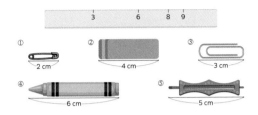

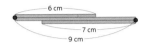

1 다음과 같이 눈금이 일부분 지워진 자를 이용하여 다음과 같은 물건의 길이를 재려고 합니다. 길이를 잴 수 없는 물건은 무엇입니까? ②

3 길이가 6 cm, 9 cm, 7 cm인 막대가 연결되어 있는 연결자를 다음과 같이 접었을 때, 잴 수 있는 길이를 모두 쓰세요. (단, 각 막대의 길이는 제외하고 생각합니다.) 2 cm, 3 cm, 4 cm

2 다음과 같이 눈금 사이의 간격만을 알 수 있는 막대가 있습니다. 다음 중 이 막대를 이용하여 잴 수 있는 길이에 모두 ○표 하세요.

4 다음 연결자 중 5 cm를 잴 수 없는 자의 기호를 쓰세요. ②

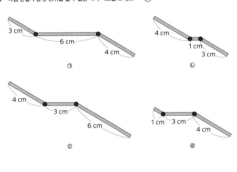

---

1 ① 옷핀 2 cm: 8−6
　② 지우개 4 cm: ×
　③ 클립 3 cm: 6−3
　④ 크레파스 6 cm: 9−3
　⑤ 머리핀 5 cm: 8−3

2 칸의 개수로 나누어 찾습니다.
　1개: 2 cm, 3 cm, 4 cm
　2개: 2+3=5(cm), 3+4=7(cm)
　3개: 2+3+4=9(cm)

3 길이의 차를 이용합니다.

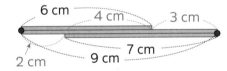

4 ⊙ 3+6−4=5(cm)
　⊙ 4+1=5(cm)
　⊙ 3+6−4=5(cm)

확인 문제

5 다음 중 1 cm부터 7 cm까지의 길이를 1 cm 간격으로 빠짐없이 잴 수 있는 자를 모두 고르세요.

③, ⑤

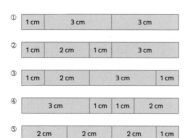

6 다음은 길이가 1 cm, 8 cm, 5 cm인 막대로 된 연결자입니다. 이 연결자를 이용하여 1 cm부터 14 cm까지의 길이를 1 cm 간격으로 길이를 잴 때, 잴 수 없는 길이 중 가장 긴 길이를 쓰세요.

11 cm

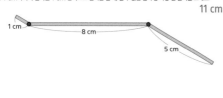

7 다음 두 도형을 이용하여 잴 수 있는 길이는 모두 몇 가지입니까? (단, 두 도형을 모두 사용할 필요는 없습니다.) 9가지

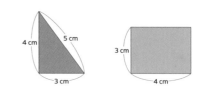

8 보기 는 3 cm 막대에 눈금 1개를 그어 1 cm부터 3 cm까지 1 cm 간격으로 모두 잴 수 있도록 만든 것입니다. 같은 방법으로 1 cm부터 6 cm까지의 길이를 1 cm 간격으로 모두 잴 수 있도록 길이가 6 cm인 막대에 눈금 2개를 그으세요.

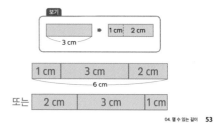

---

5 ③ 1 cm: 1   2 cm: 2
    3 cm: 3   4 cm: 3 + 1
    5 cm: 2 + 3   6 cm: 1 + 2 + 3
    7 cm: 1 + 2 + 3 + 1

    ⑤ 1 cm: 1   2 cm: 2
    3 cm: 2 + 1   4 cm: 2 + 2
    5 cm: 2 + 2 + 1   6 cm: 2 + 2 + 2
    7 cm: 2 + 2 + 2 + 1

6 잴 수 없는 가장 긴 길이를 찾는 것이므로 잴 수 있는 가장 긴 길이부터 차례로 찾습니다.

    14 cm: 1 + 8 + 5   13 cm: 8 + 5
    12 cm: 8 + 5 − 1   11 cm: ×

7 도형을 이용하여 잴 수 있는 가장 긴 길이는 9 cm이므로 9 cm까지 잴 수 있는 길이를 모두 찾습니다.

    1 cm: 4 − 3   2 cm: 5 − 3
    3 cm: 3   4 cm: 4
    5 cm: 5   6 cm: 3 + 3
    7 cm: 4 + 3   8 cm: 5 + 3
    9 cm: 5 + 4

8 1) 간격이 있는 막대의 경우 합만을 이용하여 길이를 잴 수 있습니다. 따라서 6 cm까지 모두 잴 수 있으려면 1 cm, 2 cm가 기본적으로 들어가야 합니다.

    2) 눈금 2개를 그으면 길이를 1 cm, 2 cm, 3 cm로 나누어지므로 눈금을 그을 때 1 cm, 2 cm가 붙어 있는 경우와 떨어져 있는 경우로 나누어 생각합니다.

    3) 1 cm, 2 cm가 붙어있는 경우 길이를 모두 잴 수 없습니다.

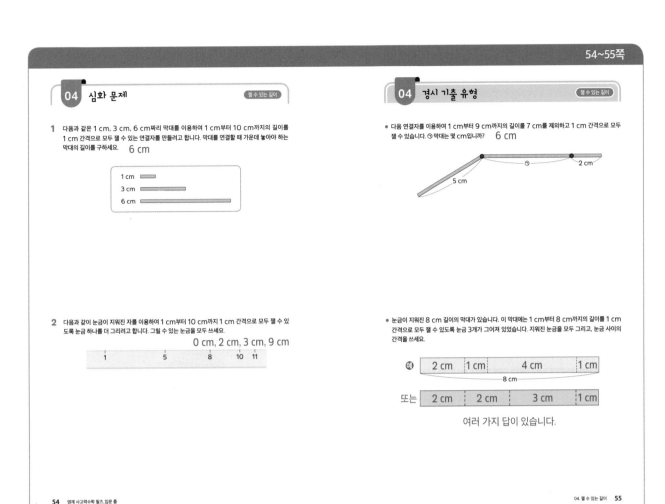

1 다음과 같은 1 cm, 3 cm, 6 cm짜리 막대를 이용하여 1 cm부터 10 cm까지의 길이를 1 cm 간격으로 모두 잴 수 있는 연결자를 만들려고 합니다. 막대를 연결할 때 가운데 놓아야 하는 막대의 길이를 구하세요. **6 cm**

1 cm	▭
3 cm	▭▭
6 cm	▭▭▭

2 다음과 같이 눈금이 지워진 자를 이용하여 1 cm부터 10 cm까지 1 cm 간격으로 모두 잴 수 있도록 눈금 하나를 더 그리려고 합니다. 그릴 수 있는 눈금을 모두 쓰세요.

0 cm, 2 cm, 3 cm, 9 cm

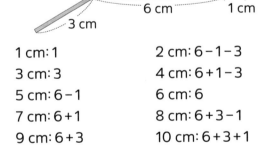

● 다음 연결자를 이용하여 1 cm부터 9 cm까지의 길이를 7 cm를 제외하고 1 cm 간격으로 모두 잴 수 있습니다. ㉠ 막대는 몇 cm입니까? **6 cm**

5 cm   ㉠   2 cm

● 눈금이 지워진 8 cm 길이의 막대가 있습니다. 이 막대에는 1 cm부터 8 cm까지의 길이를 1 cm 간격으로 모두 잴 수 있도록 눈금 3개가 그어져 있었습니다. 지워진 눈금을 모두 그리고, 눈금 사이의 간격을 쓰세요.

예

2 cm	1 cm	4 cm	1 cm
		8 cm	

또는

2 cm	2 cm	3 cm	1 cm

여러 가지 답이 있습니다.

---

1 6 cm가 연결자의 가운데에 있는 경우 10 cm까지 길이를 재는 방법은 다음과 같습니다.

6 cm   1 cm   3 cm

1 cm: 1	2 cm: 6-1-3
3 cm: 3	4 cm: 6+1-3
5 cm: 6-1	6 cm: 6
7 cm: 6+1	8 cm: 6+3-1
9 cm: 6+3	10 cm: 6+3+1

2 1) 현재 자로는 10 cm까지의 길이 중 8 cm를 잴 수 없습니다.

2) 따라서 8 cm를 잴 수 있도록 눈금을 긋습니다.

3) 8 cm를 이용할 때는 눈금 0 cm를 긋습니다.
1 cm를 이용할 때는 눈금 9 cm를 긋습니다.
10 cm를 이용할 때는 눈금 2 cm를 긋습니다.
11 cm를 이용할 때는 눈금 3 cm를 긋습니다.

4) 자의 길이를 넘는 눈금은 그을 수 없으므로 11 cm를 넘는 눈금은 그을 수 없습니다.

● 1) 9 cm를 잴 수 있어야 하므로 ㉠은 2 cm보다 크거나 같습니다.

2) 7 cm를 잴 수 없으므로 ㉠은 2 cm가 아닙니다.

3) 1 cm를 잴 수 있으려면 ㉠은 3 cm, 4 cm, 6 cm, 8 cm 중 하나입니다.

4) 9 cm까지 7 cm를 빼고 모두 잴 수 있는 길이는 6 cm입니다.

● 1) 1 cm부터 8 cm까지 모두 잴 수 있으려면 간격이 1 cm인 눈금이 있어야 합니다.

2) 2 cm와 3 cm를 모두 잴 수 있으려면 간격이 1 cm인 눈금 옆에 2 cm가 있어야 합니다.

3) 남은 5 cm를 두 칸으로 나누어야 하므로 1 cm, 4 cm로 나눕니다.

4) 눈금의 순서를 바꾸어보며 8 cm까지 모두 잴 수 있는 막대를 완성합니다.

05 간격과 개수

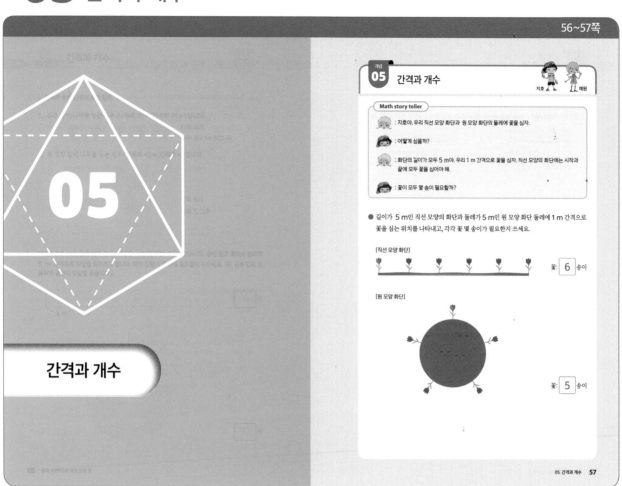

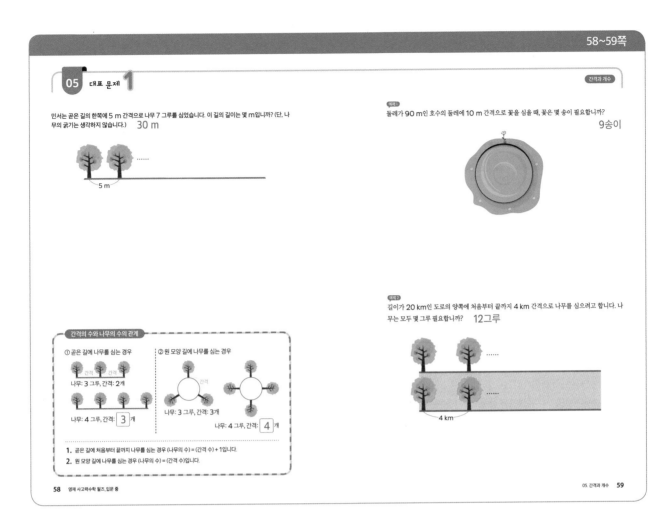

1) 곧은 길에 나무 7그루를 심었다면 간격은 6개입니다.
2) 간격이 모두 5 m이므로 길의 길이는
   $6 \times 5 = 30$(m)입니다.

예제 1

1) 둘레가 90 m, 간격이 10 m이므로 간격이 9개입니다.
2) 원 모양 둘레에 심은 (꽃의 수) = (간격 수)이므로 꽃은 9송이입니다.

예제 2

1) 도로 한쪽의 간격의 개수가 5개이므로 필요한 나무는
   $5 + 1 = 6$(그루)입니다.
2) 도로 양쪽에 필요한 나무의 수는 $6 \times 2 = 12$(그루)입니다.

05 대표 문제 2

예원이가 길이가 24 m인 통나무를 4 m 간격으로 모두 자르려고 합니다. 한 번 자르는 데 2분이 걸리고 쉬지 않고 자를 때, 통나무를 자르는데 모두 몇 분이 걸리는지 구하세요. **10분**

지한이는 길이가 60 cm인 색 테이프를 길이가 모두 같도록 자르려고 합니다. 지한이가 색 테이프를 자른 횟수가 다음과 같을 때 색 테이프의 도막의 개수와 한 도막의 길이를 구하세요.

(1) 자른 횟수 2번: 도막의 개수 **3** 개, 한 도막의 길이 **20** cm

(2) 자른 횟수 4번: 도막의 개수 **5** 개, 한 도막의 길이 **12** cm

(3) 자른 횟수 5번: 도막의 개수 **6** 개, 한 도막의 길이 **10** cm

예제 2

긴 통나무 한 개를 6 도막으로 자르려고 합니다. 한 번 자르는데 4분이 걸리고, 한 번 자르고 2분을 쉽니다. 통나무를 자르는데 모두 몇 분이 걸리는지 구하세요. **28분**

자른 횟수와 도막 개수의 관계

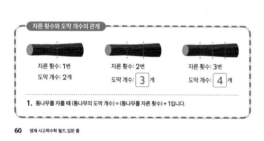

자른 횟수: 1번
도막 개수: 2개

자른 횟수: 2번
도막 개수: **3** 개

자른 횟수: 3번
도막 개수: **4** 개

1. 통나무를 자를 때 (통나무의 도막 개수) = (통나무를 자른 횟수) + 1입니다.

---

1) 통나무 도막은 모두 6개입니다.

2) 자른 횟수는 도막 수보다 하나 적으므로 자른 횟수는
6 – 1 = 5(번)입니다.

3) 한 번 자르는 데 2분이 걸리므로 5번 자르는 데 걸리는
시간은 모두 10분입니다.

예제 1

(도막의 개수) = (색 테이프를 자른 횟수) + 1

(1) (도막의 개수) = 2 + 1 = 3(개), 한 도막 길이: 20 cm

(2) (도막의 개수) = 4 + 1 = 5(개), 한 도막 길이: 12 cm

(3) (도막의 개수) = 5 + 1 = 6(개), 한 도막 길이: 10 cm

예제 2

1) (도막의 개수) = (자른 횟수) + 1이므로 6 도막을 만들
려면 5번 자릅니다.

2) 한 번 자르는데 4분이 걸리므로 5번 자르는데
4 × 5 = 20(분)이 걸립니다.

3) 5번 자르면 마지막은 쉬지 않으므로 모두 4번 쉽니다.
쉬는 시간은 모두 2 × 4 = 8(분)입니다.

4) 6 도막으로 자르는데 모두 20 + 8 = 28(분)이 걸립니
다.

05 확인 문제

간격과 개수

1 길의 한쪽에 나무 9 그루를 4 m 간격으로 심으려고 합니다. 첫 번째 나무와 마지막 나무 사이의 거리는 몇 m입니까? (단, 나무의 굵기는 생각하지 않습니다.)   32 m

2 서현이가 박수를 칩니다. 한 번 박수 칠 때 걸리는 시간이 1초이고, 박수를 한 번 치고 2초를 쉽니다. 서현이가 박수를 7번 칠 때 걸리는 시간은 모두 몇 초입니까?   19초

박자를 맞추어
박수를 쳐야 해.

3 공원 관리인이 둘레가 80 m인 호수 주변에 5 m 간격으로 말뚝을 세우려고 합니다. 관리인은 말뚝 몇 개를 준비해야 합니까?   16개

4 바게트 빵이 3개 있습니다. 이 바게트 빵을 각각 4 조각으로 자르려고 합니다. 한 번 자르는데 5초가 걸린다면 바게트 빵 3개를 모두 자르는데 몇 초가 걸립니까?   45초

---

1 **1)** 곧은 길에 나무 9그루를 심으면 간격은
9 − 1 = 8(개)입니다.

   2) 간격이 4 m이므로 첫 번째 나무와 마지막 나무 사이의 거리는 4 × 8 = 32(m)입니다.

2 **1)** 박수를 7번 치면 6번을 쉽니다.

   2) 총 걸린 시간은 7 + 2 × 6 = 19(초)입니다.

3 원 모양 연못 둘레에 꽂은 (말뚝의 수) = (간격 수)이므로 필요한 말뚝은 16개입니다.

4 **1)** 빵 하나를 네 조각으로 만들려면 3번 자릅니다.

   2) 빵이 모두 3개이므로 모두 9번 자릅니다.

   3) 한 번 자르는 데 5초가 걸리므로 모두
5 × 9 = 45(초)가 걸립니다.

정답 및 해설   **29**

05 확인 문제 간격과 개수

5 민서가 1층에서 5층까지 엘리베이터를 타고 올라가는데 모두 20초가 걸렸습니다. 민서가 한 층을 올라가는데 걸린 시간은 몇 초입니까? (단, 한 층을 올라가는데 걸리는 시간은 모두 같습니다.)

5초

6 한 변이 20 m인 정사각형 모양의 놀이터 둘레에 5 m 간격으로 가로등이 설치되어 있습니다. 가로등과 가로등 사이에는 의자가 한 개씩 놓여 있습니다. 놀이터 둘레에는 의자가 모두 몇 개 있습니까?

16개

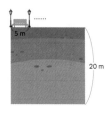

7 길이가 100 m인 길의 양쪽에 5 m 간격으로 꽃을 심으려고 합니다. 길의 처음과 끝에 꽃을 심지 않을 때 꽃은 모두 몇 송이가 필요합니까? 38송이

8 1부터 10까지의 수 카드 10장을 한 줄로 늘어놓았습니다. 수 카드의 가로 길이는 3 cm이고, 카드 사이의 간격은 1 cm입니다. 수 카드 1과 10 사이의 간격은 몇 cm입니까? 33 cm

| 1 | 2 | 3 | …… | 10 |

3 cm

---

5 **1)** 1층에서 5층까지 올라가려면 모두 네 층을 올라가야 합니다.

2) 네 층을 올라가는데 20초가 걸리므로 한 층을 올라가는데 걸리는 시간은 5초입니다.

6 **1)** 놀이터의 둘레에 놓이는 의자의 개수는 나무와 나무 사이의 간격의 수와 같습니다.

2) 놀이터에 둘레에 놓인 의자의 수는 모두 16개입니다.

7 **1)** 길 한쪽의 간격의 개수가 20개입니다. 길의 처음과 끝에 꽃을 심지 않으므로 길의 한쪽에 심는 꽃은 20 - 1 = 19(송이)입니다.

2) 길의 양쪽에 심는 꽃은 모두 19 + 19 = 38(송이)입니다.

8 **1)** 수 카드 1과 10 사이에는 수 카드 8장이 있습니다.

2) 수 카드 1과 10 사이에는 간격이 9개입니다.

3) 따라서 수 카드 1과 10 사이의 간격은 3 × 8 = 24, 1 × 9 = 9, 24 + 9 = 33(cm)입니다.

05 심화 문제

간격과 개수

1 어느 기차 모형은 양끝에 기관차가 1개씩 있고 그 사이에 객차가 5개가 연결되어 있습니다. 기관차 1개의 길이는 10 cm, 객차 1대의 길이는 8 cm, 기관차와 객차, 객차와 객차 사이의 간격은 각각 1 cm입니다. 이 기차 모형의 길이는 몇 cm입니까? **66 cm**

2 예원이가 엘리베이터로 1층부터 6층까지 올라가면 30초가 걸립니다. 예원이가 같은 엘리베이터로 1층에서 10층까지 올라갈 때, 각 층마다 문이 열려서 1초씩 시간이 더 걸린다면 10층까지 가는 데 모두 몇 초가 걸립니까? **62초**

05 경시 기출 유형

간격과 개수

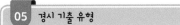

● 지호는 긴 색 테이프를 10 cm 간격으로 자르려고 합니다. 한 번 자르는 데 5초가 걸리고, 1초를 쉽니다. 색 테이프를 자르는 데 모두 35초가 걸린다면 색 테이프의 길이는 몇 cm입니까? **70 cm**

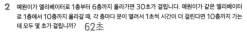

● 둥근 모래 놀이터의 둘레에 같은 간격으로 깃발을 꽂으려고 합니다. 3 m 간격으로 깃발을 꽂을 때보다 2 m 간격으로 깃발을 꽂을 때, 깃발이 3개 더 필요하다면, 놀이터의 둘레는 몇 m입니까? **18 m**

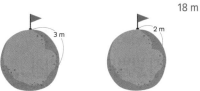

---

1 **1)** 길이가 10 cm인 기관차가 2개, 길이가 8 cm인 객차가 5개입니다.

$10 + 10 = 20$, $8 \times 5 = 40$,

$20 + 40 = 60$(cm)

2) 간격은 모두 6개입니다.

3) 기차 모형의 길이는 $60 + 6 = 66$(cm)입니다.

2 **1)** 1층부터 6층까지 올라가려면 모두 다섯 층을 올라가야 합니다.

2) 다섯 층을 올라가는데 30초가 걸리므로 한 층을 올라가는데 걸리는 시간은 6초입니다.

3) 1층부터 10층까지 올라가려면 모두 아홉 층을 올라가고, 모두 8번 문이 열립니다.

$6 \times 9 = 54$, $1 \times 8 = 8$, $54 + 8 = 62$(초)

● **1)** 자르는 데 모두 35초가 걸렸으므로 35초에 가장 가깝게 6번 자른 것으로 예상할 수 있습니다.

2) 6번 잘랐다면 5번 쉬는 것이므로 자르는 데 걸린 시간이 $5 \times 6 + 5 = 35$ (초)로 조건과 맞습니다.

3) 6번 자르면 도막은 7개이므로 색 테이프는 모두 $10 \times 7 = 70$(cm)입니다.

● **1)** 둘레가 6 m면 3 m 간격으로 깃발 2개, 2 m 간격으로 깃발 3개로 깃발의 개수가 1 개 차이납니다.

2) 깃발의 개수 차이가 3개이므로 모래 놀이터의 둘레는 $6 \times 3 = 18$(m)입니다.

06 여러 가지 방법으로 해결하기

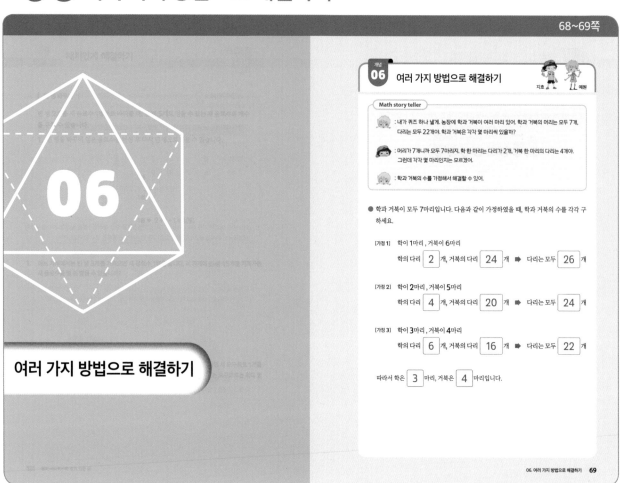

06 여러 가지 방법으로 해결하기

Math story teller

: 내가 퀴즈 하나 낼게. 농장에 학과 거북이 여러 마리 있어. 학과 거북의 머리는 모두 7개, 다리는 모두 22개야. 학과 거북은 각각 몇 마리씩 있을까?

: 머리가 7개니까 모두 7마리지. 학 한 마리는 다리가 2개, 거북 한 마리의 다리는 4개야. 그런데 각각 몇 마리인지는 모르겠어.

: 학과 거북의 수를 가정해서 해결할 수 있어.

● 학과 거북이 모두 7마리입니다. 다음과 같이 가정하였을 때, 학과 거북의 수를 각각 구하세요.

[가정 1] 학이 1마리 , 거북이 6마리

학의 다리 [2] 개, 거북의 다리 [24] 개 ➡ 다리는 모두 [26] 개

[가정 2] 학이 2마리 , 거북이 5마리

학의 다리 [4] 개, 거북의 다리 [20] 개 ➡ 다리는 모두 [24] 개

[가정 3] 학이 3마리 , 거북이 4마리

학의 다리 [6] 개, 거북의 다리 [16] 개 ➡ 다리는 모두 [22] 개

따라서 학은 [3] 마리, 거북은 [4] 마리입니다.

06. 여러 가지 방법으로 해결하기 **69**

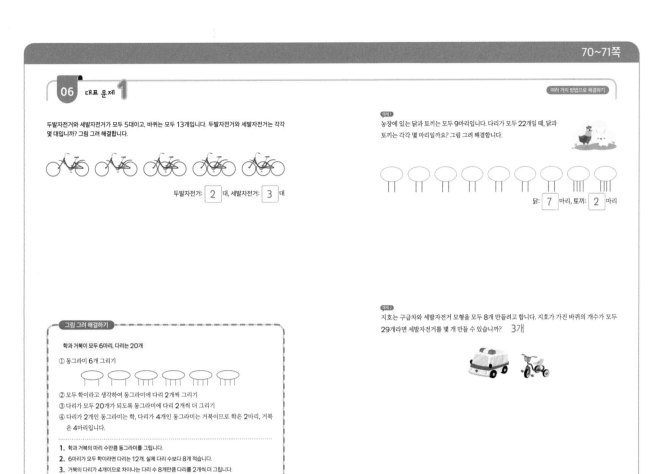

1) 바퀴를 2개씩 그리면 바퀴는 모두 5 × 2 = 10(개)입니다.

2) 실제 바퀴 수는 13개이므로 13 − 10 = 3(개)만큼 차이가 납니다.

3) 자전거 3대에 바퀴를 1개씩 더 그려주면 바퀴는 모두 13개가 됩니다.

4) 따라서 두발자전거는 2대, 세발자전거는 3대입니다.

예제 1

1) 다리를 2개씩 그리면 다리는 모두 9 × 2 = 18(개)입니다.

2) 실제 다리 수는 22개이므로 22 − 18 = 4(개)만큼 차이가 납니다.

3) 다리를 2개씩 모두 4개를 그려주면 다리가 22개가 됩니다.

4) 다리가 2개인 동그라미는 닭, 다리가 4개인 동그라미는 토끼이므로 닭은 7마리, 토끼는 2마리입니다.

예제 2

1) 8개가 모두 세발자전거라고 생각하면 바퀴는 모두 3 × 8 = 24(개)입니다.

2) 실제 바퀴 수는 29개이므로 29 − 24 = 5(개)만큼 차이가 납니다.

3) 구급차 1개에 바퀴 5개를 1개씩 나누어주면 모두 5대에 나누어줄 수 있습니다.

4) 구급차는 5개, 세발자전거는 8 − 5 = 3(개)입니다.

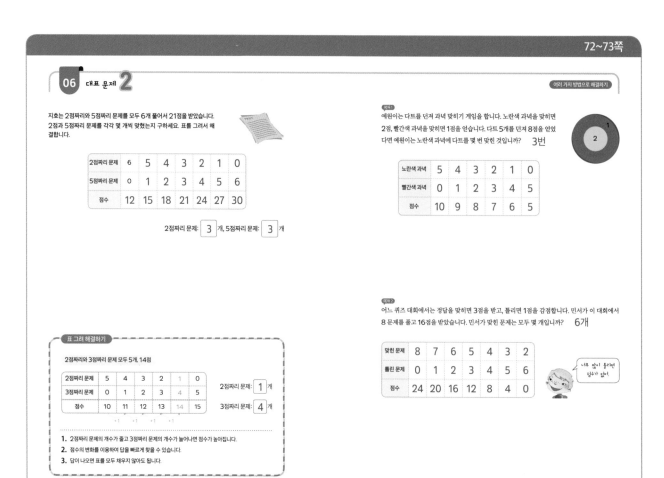

1) 2점짜리와 5점짜리 문제가 모두 6개가 되도록 표의 빈 칸을 채웁니다.

2) 2점짜리 문제의 수가 1개씩 줄어들수록 점수의 합이 3 점씩 커지는 것을 이용하면 좀 더 빠르게 표를 채울 수 있습니다.

3) 점수의 합이 21점이 되는 줄을 찾으면 2점짜리 문제는 3개, 5점짜리 문제는 3개입니다.

예제 1

1) 2점짜리와 1점짜리 과녁을 맞힌 횟수가 모두 5번이 되 도록 표의 빈칸을 채웁니다.

2) 2점짜리 과녁의 수가 1개씩 줄어들수록(늘어날수록) 점수의 합이 1점씩 작아(커)지는 것을 이용하면 좀 더 빠르게 표를 채울 수 있습니다.

3) 점수의 합이 8점이 되는 줄을 찾으면 2점짜리 과녁을 3 번 맞힌 것입니다.

예제 2

1) 맞힌 문제와 틀린 문제의 수가 모두 8개가 되도록 표를 채웁니다.

2) 맞힌 문제가 1개씩 줄어들수록(늘어날수록) 점수의 합 이 4점씩 작아(커)지는 것을 이용하면 좀 더 빠르게 표 를 채울 수 있습니다.

3) 점수의 합이 16점이 되는 줄을 찾으면 맞힌 문제는 6 개입니다.

06 확인 문제 여러 가지 방법으로 해결하기

1 구슬이 2개씩 들어 있는 상자와 구슬이 3개씩 들어 있는 상자가 있습니다. 상자는 5개, 구슬은 모두 12개일 때 구슬이 2개 있는 상자와 구슬이 3개 있는 상자의 개수를 각각 구하세요.

구슬이 2개 있는 상자: $\boxed{3}$ 개, 구슬이 3개 있는 상자: $\boxed{2}$ 개

2 돼지 저금통에 들어 있는 10원짜리 동전과 50원짜리 동전은 모두 6개이고, 금액은 100원입니다. 10원짜리 동전과 50원짜리 동전이 각각 몇 개씩 있습니까?

10원짜리 동전: $\boxed{5}$ 개, 50원짜리 동전: $\boxed{1}$ 개

3 예원이와 지호가 가위바위보를 하여 이기면 쿠키 3개, 지면 쿠키 1개를 갖습니다. 가위바위보를 모두 7번 하여 예원이가 쿠키를 13개 얻었다면 예원이는 모두 몇 번 이긴 것입니까? 3번

4 개미의 다리는 6개, 거미의 다리는 8개입니다. 곤충 채집통 안에 있는 개미와 거미는 모두 4마리, 다리는 모두 26개입니다. 거미는 몇 마리입니까? 1마리

---

1 1) 상자 5개에 모두 구슬이 2개씩 들었다고 생각하면 구슬은 모두 2 × 5 = 10(개)입니다.

2) 실제 구슬 개수는 12개이므로 12 – 10 = 2(개)만큼 차이가 납니다.

3) 상자 1개에 구슬을 1개씩 더 넣으면 모두 상자 2개에 구슬 3개씩 넣을 수 있습니다.

4) 구슬 2개가 들어간 상자는 3개, 구슬 3개가 들어간 상자는 2개입니다.

2 1) 동전 6개가 모두 10원짜리라고 생각하면 금액은 모두 60원입니다.

2) 실제 금액은 100원이므로 100 – 60 = 40(원)만큼 차이가 납니다.

3) 동전 1개에 40원씩 더 비싸게 생각하면 동전 1개가 50원이 됩니다.

4) 10원짜리 동전은 5개, 50원짜리 동전은 1개입니다.

3 1) 가위바위보 7번을 모두 이겼다고 가정하면 예원이가 얻을 수 있는 쿠키는 3 × 7 = 21(개)입니다.

2) 실제 쿠키는 13개이므로 21 – 13 = 8(개)만큼 차이가 납니다.

3) 이긴 경기를 진 경기로 바꾸어 생각하면 쿠키가 2개씩 줄어듭니다.

4) 8개만큼 줄어들어야 하므로 진 경기는 4번, 이긴 경기는 3번입니다.

4 1) 4마리가 모두 거미라고 가정하면 다리는 모두 8 × 4 = 32(개)입니다.

2) 실제 다리는 26개이므로 32 – 26 = 6(개)만큼 차이가 납니다.

3) 거미를 개미로 바꾸어 생각하면 다리가 2개씩 줄어듭니다.

4) 6개만큼 줄어들어야 하므로 개미는 3마리, 거미는 4 – 3 = 1(마리)입니다.

06 확인 문제 여러 가지 방법으로 해결하기

5 어느 대회에 참가한 농구팀과 배구팀은 모두 7팀이고, 선수는 모두 38명입니다. 농구팀은 한 팀에 5명, 배구팀은 한 팀에 6명이라고 할 때, 대회에 참가한 농구팀은 모두 몇 개입니까? **4개**

7 어느 학교 수학 경시대회에서는 문제를 맞히면 5점을 받고, 문제를 틀리면 2점을 감점합니다. 지호가 모두 7 문제를 풀고 14점을 받았다면, 맞힌 문제는 몇 개입니까? **4개**

6 민서는 다음과 같은 과녁에 화살을 8번 쏘아 모두 맞히고, 28점을 얻었습니다. 민서는 2점짜리 과녁과 5점짜리 과녁을 각각 몇 번씩 맞힌 것입니까?

2점짜리 과녁: **4** 번

5점짜리 과녁: **4** 번

8 지호는 친구 6명과 사탕을 2개 또는 3개씩 나누어 가졌습니다. 나누어 가진 사탕이 모두 20개라고 할 때, 사탕 2개를 받은 사람은 모두 몇 명입니까? **1명**

5 **1)** 7팀이 모두 배구팀이라고 생각하면 선수는 모두 6 × 7 = 42(명)입니다.

2) 실제 선수는 38명이므로 42 − 38 = 4(명)만큼 차이가 납니다.

3) 배구팀을 농구팀으로 바꿀때마다 선수가 1명씩 줄어듭니다.

4) 4명이 줄어야 하므로 농구팀은 4개, 배구팀은 3개입니다.

6 **1)** 8번 모두 5점짜리 과녁에 맞혔다고 생각하면 점수는 8 × 5 = 40(점)입니다.

2) 실제 점수는 28점이므로 40 − 28 = 12(점)만큼 차이가 납니다.

3) 5점 과녁에 맞힌 횟수 1번을 2점짜리 과녁 1번으로 바꾸면 3점이 작아집니다.

4) 12점이 줄어야 하므로 2점짜리 과녁을 4번, 5점짜리 과녁을 4번 맞혔습니다.

7 **1)** 문제 7개를 모두 맞혔다고 생각하면 점수는 7 × 5 = 35(점)입니다.

2) 실제 점수가 14점이므로 35 − 14 = 21(점)만큼 차이가 납니다.

3) 맞힌 문제 1개를 틀린 문제 1개로 바꿀 때마다 7점씩 차이가 납니다.

4) 21점만큼 점수가 작아지므로 틀린 문제는 3개, 맞힌 문제는 4개입니다.

8 **1)** 지호와 친구 6명이므로 사탕을 나누어 가지는 사람은 모두 7명입니다.

2) 7명이 모두 3개씩 가지면 필요한 사탕은 7 × 3 = 21(개)입니다.

3) 실제 사탕은 20개이므로 21 − 20 = 1(개)만큼 차이가 납니다.

4) 사탕 3개를 가진 사람을 사탕 2개를 가진 사람으로 바꿀 때마다 사탕이 1개씩 적어집니다.

5) 1개만큼 사탕의 수가 적어지므로 사탕 2개를 가진 사람은 1명입니다.

06 심화 문제   여러 가지 방법으로 해결하기

1 민서는 어린이 퀴즈 대회에 참가하여 5 문제를 풀었습니다. 기본 점수는 30점이고 한 문제를 맞히면 4점을 받고, 틀리면 1점을 감점합니다. 민서가 이 대회에서 40점을 받았다면 맞힌 문제는 몇 개입니까?   3개

2 농장에 있는 오리와 돼지, 젖소는 모두 8마리, 다리는 모두 26개입니다. 오리와 돼지의 마리 수가 같다고 할 때 젖소는 몇 마리입니까?   2마리

06 경시 기출 유형   여러 가지 방법으로 해결하기

● 작은 운동회에 여덟 가족이 모였습니다. 각 가족은 3명 또는 4명이고, 한 가족만 5명입니다. 모인 사람이 모두 28명이라고 할 때, 3명인 가족은 모두 몇 가족입니까?   5 가족

● 어느 모둠의 학생 12명이 귤 12개를 나누어 먹습니다. 남학생 2명이 귤 1개를 먹고, 여학생 1명이 귤 2개를 먹습니다. 남학생은 몇 명입니까?   8명

---

1 **1)** 문제 5개를 모두 맞혔다고 생각하면 점수는
$30 + 4 \times 5 = 50$(점)입니다.

2) 실제 점수가 40점이므로 $50 - 40 = 10$(점)만큼
차이가 납니다.

3) 맞힌 문제 1개를 틀린 문제 1개로 바꿀 때마다 5점
씩 차이가 납니다.

4) 10점만큼 점수가 작아지므로 틀린 문제는 2개, 맞
힌 문제는 3개입니다.

2 **1)** 오리와 돼지를 묶어서 생각하면 (오리, 돼지)의 다리
는 6개입니다.

2) 오리와 돼지의 마리 수가 같으므로 (오리, 돼지)는
최대 3마리씩입니다.

3) (오리, 돼지)가 3마리씩일 때 젖소는 2마리이브로
다리는 $6 \times 3 = 18$, $4 \times 2 = 8$, $18 + 8 = 26$(개)
입니다.

4) 따라서 젖소는 2마리입니다.

● **1)** 인원수가 5명인 가족이 한 가족이므로 3명, 4명인
가족들의 사람 수의 합은 $28 - 5 = 23$(명)입니다.

2) 일곱 가족이 모두 4명씩이라고 할 때 사람은 모두
$4 \times 7 = 28$(명)입니다.

3) 실제 인원이 23명이므로 $28 - 23 = 5$(명)만큼 차
이가 납니다.

4) 4인 가족을 3인 가족으로 바꿀 때마다 사람 수가 1
명씩 차이가 납니다.

5) 5명만큼 사람 수가 작아지려면 3인 가족은 5 가족
이 되어야 합니다.

● **1)** 모두 남학생이라고 생각하면 귤은 모두 6개입니다.

2) 실제 귤은 12개이므로 $12 - 6 = 6$(개)만큼 차이가
납니다.

3) 남학생 2명을 여학생 2명으로 바꿀 때마다 귤이 3
개씩 더 필요합니다.

4) 귤이 6개 더 많아지려면 여학생은 4명, 남학생은 8
명이 되어야 합니다.

07 재치있게 해결하기

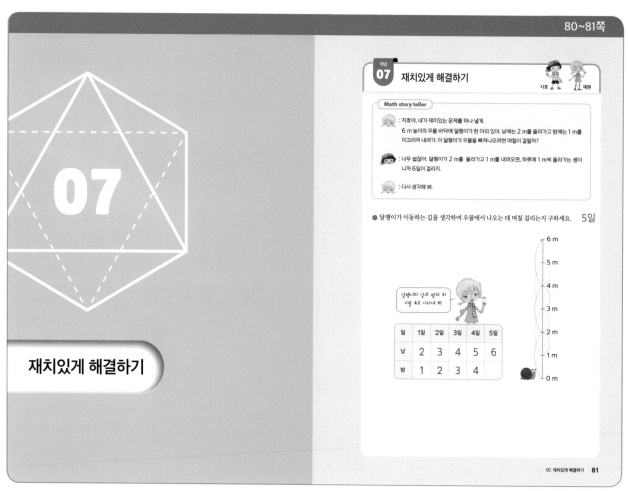

민서는 어느 가게에서 음료수 6병을 샀습니다. 이 가게에서는 빈 병 2개를 가져오면 음료수 1병으로 바꾸어 줍니다. 민서는 음료수를 최대 몇 병까지 마실 수 있습니까? 11병

예제 1

어느 가게에서는 빈 병 3개를 가져오면 음료수 1병을 줍니다. 민서네 모둠에서 빈 병 9개를 모아 바꿀 수 있을 때까지 음료수로 바꾸었습니다. 새로 받은 음료수로 모둠의 친구들이 모두 음료수 1병씩을 먹을 수 있었다면 민서네 모둠은 모두 몇 명입니까? 4명

예제 2

어느 가게에서는 500원짜리 음료수의 빈 병 2개를 가져오면 새 음료수 1개를 줍니다. 지호가 2000원으로 가게에 가서 먹을 수 있는 음료수는 최대 몇 병입니까? 7병

빈 병 바꾸기

빈 병 3개를 음료수 1병으로 바꿔 줄 때

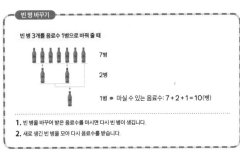

7병

2병

1병 ➡ 마실 수 있는 음료수: 7 + 2 + 1 = 10(병)

1. 빈 병을 바꾸어 받은 음료수를 마시면 다시 빈 병이 생깁니다.
2. 새로 생긴 빈 병을 모아 다시 음료수를 받습니다.

6병

3병

1병

1병

마실 수 있는 음료수: 6 + 3 + 1 + 1 = 11(병)

예제 1

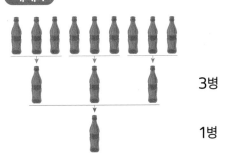

3병

1병

마실 수 있는 음료수: 3 + 1 = 4(병)

한 사람이 한 병씩 마시므로 학생 수는 모두 4명입니다.

예제 2

2000원으로 500원짜리 음료수를 4병 구입합니다.

4병

2병

1병

마실 수 있는 음료수: 4 + 2 + 1 = 7(병)

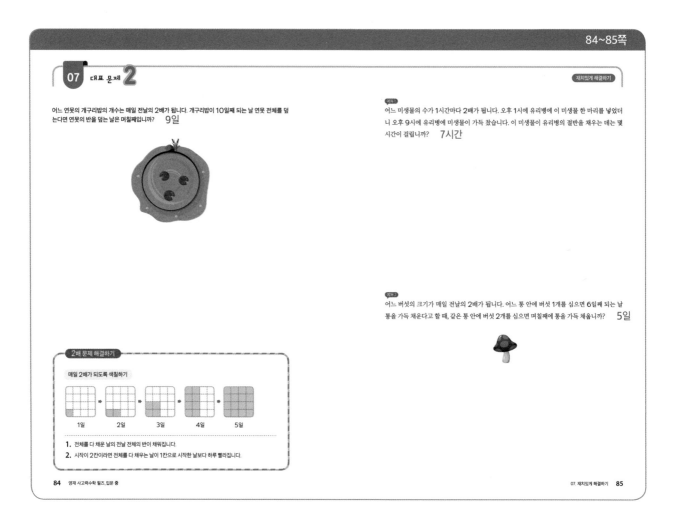

07 대표 문제 **2**

어느 연못의 개구리밥의 개수는 매일 전날의 2배가 됩니다. 개구리밥이 10일째 되는 날 연못 전체를 덮는다면 연못의 반을 덮는 날은 며칠째입니까?   **9일**

2배 문제 해결하기

매일 2배가 되도록 색칠하기

| 1일 | 2일 | 3일 | 4일 | 5일 |

1. 전체를 다 채운 날의 전날 전체의 반이 채워집니다.
2. 시작이 2칸이라면 전체를 다 채우는 날이 1칸으로 시작한 날보다 하루 빨라집니다.

84   영재 사고력수학 필즈_입문 중

재치있게 해결하기

예제1
어느 미생물의 수가 1시간마다 2배가 됩니다. 오후 1시에 유리병에 이 미생물 한 마리를 넣었더니 오후 9시에 유리병에 미생물이 가득 찼습니다. 이 미생물이 유리병의 절반을 채우는 데는 몇 시간이 걸립니까?   **7시간**

예제2
어느 버섯의 크기가 매일 전날의 2배가 됩니다. 어느 통 안에 버섯 1개를 심으면 6일째 되는 날 통을 가득 채운다고 할 때, 같은 통 안에 버섯 2개를 심으면 며칠째에 통을 가득 채웁니까?   **5일**

07. 재치있게 해결하기   **85**

개구리밥이 연못을 가득 덮은 전날인 9일째 날 개구리밥이 연못의 반을 덮습니다.

예제 1

1) 미생물이 8시간째에 유리병을 가득 채웁니다.
2) 유리병의 반을 채우는 데는 8시간의 한 시간 전인 7시간이 걸립니다.

예제 2

1) 버섯이 하루에 2배씩 자라므로 버섯 1개를 심은 두 번째 날과 버섯 2개를 심은 첫 번째 날 버섯의 크기가 같습니다.
2) 1개를 심으면 6일째에 통을 가득 채우므로 2개를 심으면 하루 전인 5일째에 통을 가득 채웁니다.

07 확인 문제

1 애벌레 한 마리가 나무 아래에서 높이가 11 m인 나무를 기어 올라갑니다. 애벌레는 낮에는 3 m를 올라가고 밤에는 1 m를 미끄러져 내려옵니다. 애벌레가 나무 꼭대기에 올라가는데 며칠이 걸립니까?   5일

2 어느 가게에서는 빈 요구르트 병 5개를 가져오면 새 요구르트 2개를 줍니다. 이 가게에 빈 요구르트 병 20개를 가져가면 새 요구르트 몇 개를 받을 수 있습니까?   12개

3 재크의 콩나무는 매일 높이가 전날의 2배가 됩니다. 8월 25일에 콩나무의 높이가 80 m였습니다. 이 콩나무의 높이가 10 m였던 날은 몇 월 며칠입니까?   8월 22일

4 어느 미생물의 수가 1시간마다 2배가 됩니다. 미생물 1마리를 비커에 넣으면 7시간째에 비커 전체를 채웁니다. 미생물 네 마리를 같은 비커에 넣으면 몇 시간째에 비커를 모두 채웁니까?   5시간

---

1 **1)** 낮에 3 m를 올라가고 밤에 1 m를 내려오는 애벌레의 위치를 표로 나타냅니다.

일	1일	2일	3일	4일	5일
낮	3 m	5 m	7 m	9 m	11 m
밤	2 m	4 m	6 m	8 m	

2) 애벌레는 5일째 되는 날 낮에 11 m를 올라갑니다.

2 **1)** 빈 병 20개를 가져가면 빈 병 5개에 새 요구르트 2개씩을 주므로 처음에 모두 8개를 받습니다.

2)

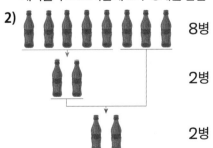

8병

2병

2병

마실 수 있는 요구르트: 8 + 2 + 2 = 12(개)

3 8월 25일: 80 m
8월 24일: 40 m
8월 23일: 20 m
8월 22일: 10 m

4 **1)** 미생물의 수가 1시간에 2배가 되므로 1시간째에 2마리, 2시간째에 4마리가 됩니다.

2) 7시간째에 비커를 가득 채우므로 네 마리를 넣으면 7시간보다 2시간 전인 5시간째에 비커를 가득 채웁니다.

07 확인 문제

제치있게 해결하기

5 어느 로봇이 앞으로 5 m, 뒤로 3 m를 반복하며 이동합니다. 로봇이 앞으로 15 m를 가려면 앞으로 5 m씩 가는 것을 모두 몇 번 해야합니까?   6번

6 어느 연못의 개구리밥의 개수는 매일 전날의 2배가 되고, 5일째 되는 날 연못 전체를 덮을 수 있습니다. 연못의 넓이를 2배로 늘린다면 개구리밥은 며칠째 되는 날 넓이가 2배인 연못 전체를 덮을 수 있습니까?   6일

7 예원이가 마당에 크기가 매일 전날의 2배가 되는 풀을 한 포기 심었더니, 10일째에 마당 전체를 덮었습니다. 처음에 풀을 몇 포기 심으면 8일째에 마당 전체를 덮을 수 있습니까?   4포기

8 같은 음료수를 ㉠ 가게에서는 200원, ㉡ 가게에서는 300원에 팝니다. ㉠ 가게에서는 빈 병 3개를 가져오면 새 음료수 1병을 주고, ㉡ 가게에서는 빈 병 2개를 가져오면 새 음료수 1병을 줍니다. 1200원으로 어느 가게에서 음료수를 몇 병 더 먹을 수 있습니까?   ㉠ 가게, 1병

---

5 **1)** 앞으로 5 m를 가고 뒤로 3 m를 가는 로봇의 위치를 표로 나타냅니다.

횟수	①	②	③	④	⑤	⑥
앞	5 m	7 m	9 m	11 m	13 m	15 m
뒤	2 m	4 m	6 m	8 m	10 m	

2) 로봇은 6번째에 15 m를 갑니다.

6 개구리밥의 개수가 전날의 2배가 되므로 5일째 되는 날 연못 전체를 덮을 수 있는 개구리밥은 6일째 되는 날 넓이가 2배인 연못 전체를 덮을 수 있습니다.

7 **1)** 마당을 가득 덮는데 10일이 걸리므로 8일째에 전체를 덮으려면 3일째 되는 날의 풀의 포기 수만큼을 처음에 심으면 됩니다.

2) 풀 한 포기를 심었을 때 하루에 2배씩 자라므로 1일째에 2 포기, 3일째 4 포기가 됩니다.

3) 3일째 포기 수만큼인 4 포기를 처음에 심습니다.

8 **1)** 1200원으로 ㉠ 가게에서는 6병, ㉡ 가게에서는 4병을 살 수 있습니다.

2)

6병

2병

㉠ 가게: 6 + 2 = 8(병)

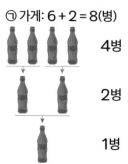

4병

2병

1병

㉡ 가게: 4 + 2 + 1 = 7(병)

3) ㉠ 가게에서 8 - 7 = 1(병) 더 먹을 수 있습니다.

심화 문제 재치있게 해결하기

1 버섯의 크기가 매일 전날의 3배가 됩니다. 버섯 1개를 병에 넣은 후, 10일째 되는 날 그 병이 꽉 찼다고 합니다. 8일째 병을 꽉 채우기 위해서는 처음에 버섯 몇 개를 넣어야 합니까? 9개

2 어느 요술 램프에 동전을 넣으면 동전의 개수가 매일 전날의 2배가 됩니다. 이 요술 램프에 동전 1개를 넣으면 15일째에 동전이 램프에 가득 찹니다. 10일째에 램프를 동전으로 가득 채우려면 처음에 동전을 몇 개 넣어야 합니까? 32개

 **경시 기출 유형** 재치있게 해결하기

● 지원이가 마법 빗자루를 타고 가 마을에서 출발하여 자 마을까지 가는데 80일이 걸렸습니다. 지원이가 하루에 움직이는 거리는 출발해서 그 전날까지 움직인 거리만큼입니다. 지원이가 라 마을을 지나는 때는 출발한 지 며칠째 되는 날입니까? (단, 각 마을 사이의 거리는 모두 같습니다.) 79일

● 어느 미생물의 수가 2시간마다 2배가 됩니다. 이 미생물 1마리를 비커에 넣으면 8시간째에 비커의 반을 채웁니다. 비커 4개에 미생물을 1마리씩 동시에 넣는다면 몇 시간째에 비커 4개에 미생물이 모두 가득 차겠습니까? 10시간

1 1) 버섯이 병을 가득 채우는 날을 2일 빠르게 하려면 버섯 1개를 넣고 2일 지난 후인 3일째 되는 날의 버섯의 크기만큼 버섯을 넣으면 됩니다.

2) 버섯 1개를 넣으면 2일째에는 3배, 3일째에는 9배가 됩니다.

3) 버섯 9개를 넣으면 8일째에 병을 가득 채웁니다.

2 1) 요술 램프를 가득 채우는 날을 5일 빠르게 하려면 요술 램프에 동전 1개를 넣고 5일 지난 후인 6일째 되는 날의 동전의 수만큼 동전을 넣으면 됩니다.

2) 동전 1개를 넣으면 2일째에는 동전 2개, 3일째에는 동전 4개, 4일째에는 동전 8개, 5일째에는 동전 16개, 6일째에는 동전 32개가 됩니다.

3) 동전 32개를 넣으면 10일째에 요술 램프를 가득 채웁니다.

● 1) 지원이가 80일 동안 8칸을 이동하였습니다.

2) 80일째에 8칸의 반인 4칸을 이동하였습니다.

3) 79일째에 4칸의 반인 2칸을 이동하였습니다.

4) 라 마을을 79일째에 이동합니다.

● 1) 비커 4개에 미생물을 각각 1마리씩 넣어서 비커를 가득 채우는 시간은 비커 1개에 미생물 1마리를 넣어 가득 채우는 시간과 같습니다.

2) 8시간째에 비커의 반을 채우면 2시간 후인 10시간째에는 비커를 가득 채웁니다.

정답 및 해설 **43**

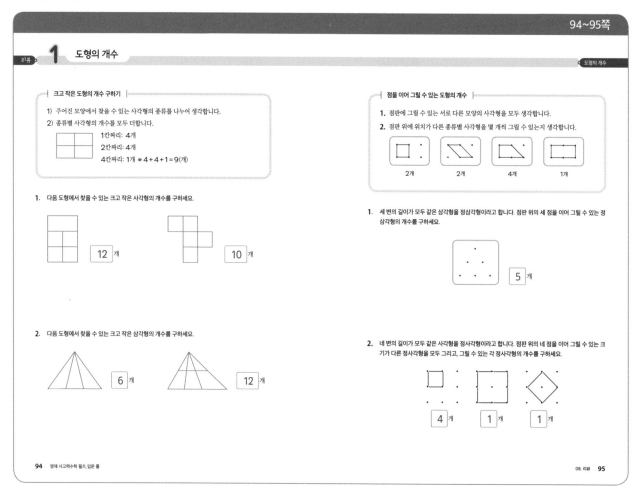

1 1칸짜리: 5개   1칸짜리: 5개
2칸짜리: 4개   2칸짜리: 4개
3칸짜리: 1개   3칸짜리: 1개
4칸짜리: 1개
5칸짜리: 1개
➡ 5+4+1+1+1=12(개) ➡ 5+4+1=10(개)

2 1칸짜리: 3개   1칸짜리: 3개
2칸짜리: 2개   2칸짜리: 5개
3칸짜리: 1개   3칸짜리: 1개
➡ 3+2+1=6(개)   4칸짜리: 2개
               6칸짜리: 1개
             ➡ 3+5+1+2+1=12(개)

1 삼각형의 개수를 다음과 같이 찾을 수 있습니다.

 4개   1개   ➡ 4+1=5(개)

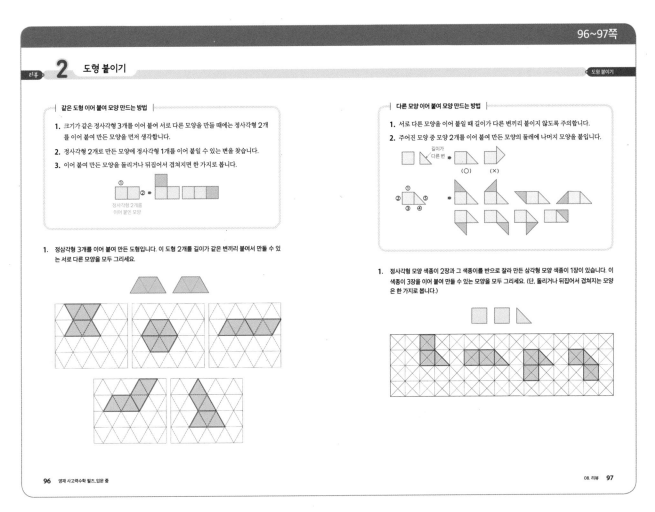

1 주어진 도형은 정삼각형 3개를 이어 붙여 만든 도형입니다. 길이가 같은 변끼리만 이어 붙일 수 있도록 주의합니다.

1 다음과 같이 도형 2개를 이어 붙인 후 나머지 도형을 붙일 수 있는 변을 찾습니다.

보이지 않는 쌓기나무의 개수

1. (보이지 않는 쌓기나무의 개수) = (쌓기나무의 개수) − (보이는 쌓기나무의 개수)
2. 보이지 않는 쌓기나무의 개수는 쌓기표를 이용하여 구할 수 있습니다.

[방법1] (보이지 않는 쌓기나무의 개수) = 8 − 7 = 1(개)
[방법2] 보이지 않는 쌓기나무의 개수를 적은 쌓기표

1	0
0	0	➡ 1개

1. 쌓기나무로 쌓은 모양에서 보이는 쌓기나무의 개수와 보이지 않는 쌓기나무의 개수를 구하세요.

쌓기나무의 개수: 11 개

보이는 쌓기나무의 개수: 9 개

보이지 않는 쌓기나무의 개수: 2 개

2. 다음 쌓기표의 각 칸에 그 자리에 놓인 보이지 않는 쌓기나무의 개수를 쓰세요.

쌓기표

2	1	0
0	0	0

위, 앞, 옆에서 본 모양

1. 위에서 본 모양은 1층의 모양과 같습니다.
2. 앞과 옆에서 본 모양은 각 방향에서 보았을 때 각 줄의 가장 높은 층수를 나타냅니다.

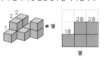

1. 쌓기나무로 쌓은 모양을 보고 위, 앞, 오른쪽 옆에서 본 모양을 그리세요.

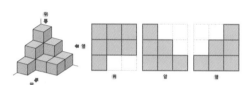

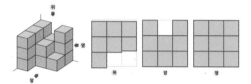

1 (보이지 않는 쌓기나무의 개수)
= (쌓기나무의 개수) − (보이는 쌓기나무의 개수)
= 11 − 9 = 2(개)

2

1 앞과 옆에서 본 모양은 각 방향에서 보았을 때 가장 높은 층수를 나타냅니다.

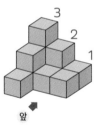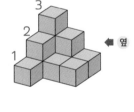

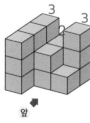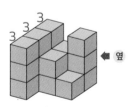

4 잴 수 있는 길이

잴 수 있는 길이

길이의 합으로 잴 수 있는 길이 찾기

1. 칸의 개수를 나누어 잴 수 있는 길이를 생각합니다.

2. 이웃한 칸의 길이만 더하여 길이를 잴 수 있습니다.

➡ 1 cm, 2 cm, 3 cm, 5 cm, 6 cm

---

1. 다음과 같이 눈금 사이의 간격만을 알 수 있는 막대가 있습니다. 이 막대를 이용해 잴 수 있는 길이를 모두 구하세요.   1 cm, 3 cm, 4 cm, 5 cm, 8 cm

2. 눈금이 지워진 오래된 자가 있습니다. 1 cm부터 10 cm까지의 길이를 1 cm 간격으로 모두 재려고 할 때, 잴 수 없는 길이를 모두 쓰세요.   8 cm, 10 cm

길이의 합과 차로 잴 수 있는 길이 찾기

1. 막대의 연결 부분을 펴면 길이의 합을 이용하여 길이를 잴 수 있습니다.

2. 막대의 연결 부분을 접으면 길이의 차를 이용하여 길이를 잴 수 있습니다.

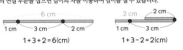

1. 길이가 1 cm, 3 cm, 5 cm인 막대가 있습니다. 이 막대를 이용하여 잴 수 있는 길이는 모두 몇 가지입니까?   9가지

1 cm	3 cm	5 cm

2. 다음은 길이가 2 cm, 6 cm, 3 cm인 막대가 연결되어 있는 연결자입니다. 연결된 부분을 자유롭게 돌려 1 cm부터 11 cm까지의 길이를 1 cm 간격으로 잴 때, 잴 수 없는 길이를 쓰세요.   10 cm

---

1 칸의 개수로 나누어 찾습니다.

1개: 3 cm, 1 cm, 4 cm

2개: 3+1=4(cm), 1+4=5(cm)

3개: 3+1+4=8(cm)

➡ 1 cm, 3 cm, 4 cm, 5 cm, 8 cm

2 1 cm부터 10 cm까지 잴 수 있는 방법을 구합니다.

1 cm: 5−4	2 cm: 10−8
3 cm: 4−1	4 cm: 8−4
5 cm: 10−5	6 cm: 10−4
7 cm: 8−1	8 cm: ×
9 cm: 10−1	10 cm: ×

➡ 8 cm, 10 cm를 잴 수 없습니다.

1 1) 잴 수 있는 가장 짧은 길이인 1 cm부터 잴 수 있는 가장 긴 길이인 9 cm까지 모두 잴 수 있는지 확인합니다.

1 cm: 1	2 cm: 3−1
3 cm: 3	4 cm: 5−1
5 cm: 5	6 cm: 5+1
7 cm: 5+3−1	8 cm: 5+3
9 cm: 5+3+1	

2) 모두 9가지 길이를 잴 수 있습니다.

2 잴 수 있는 가장 짧은 길이 1 cm부터 잴 수 있는 가장 긴 길이인 11 cm까지 모두 잴 수 있는지 확인합니다.

1 cm: 6−2−3	2 cm: 2
3 cm: 3	4 cm: 6−2
5 cm: 2+6−3	6 cm: 6
7 cm: 6+3−2	8 cm: 6+2
9 cm: 6+3	10 cm: ×
11 cm: 2+6+3	

➡ 10 cm를 잴 수 없습니다.

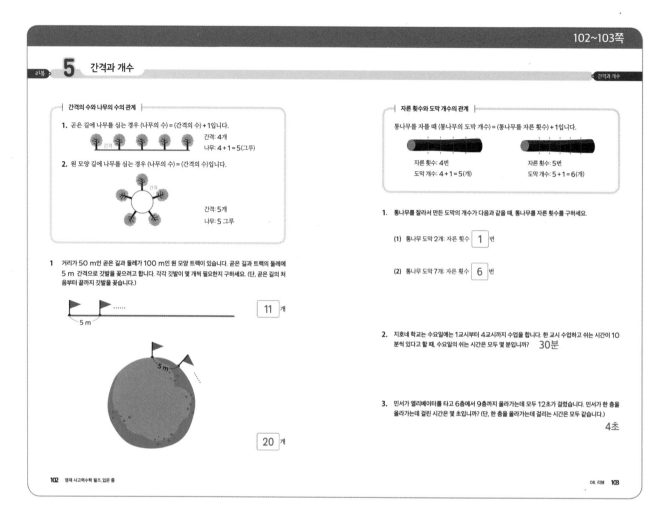

---

1 1) 곧은 길의 간격의 개수는 10개입니다.
   2) 곧은 길에 꽂은 깃발의 개수는 10 + 1 = 11(개)입니다.
   3) 원 모양 트랙의 간격의 개수는 20개입니다.
   2) 트랙에 꽂은 깃발의 개수는 20개입니다.

1 (자른 횟수) = (도막 개수) − 1
   1) (자른 횟수) = 2 − 1 = 1(번)
   2) (자른 횟수) = 7 − 1 = 6(번)

2 4교시까지 수업을 할 때, 쉬는 시간은 간격의 개수만큼 있으므로 모두 3번 있습니다. 쉬는 시간이 10분씩이므로 수요일의 쉬는 시간은 모두 30분입니다.

3 6층에서 9층까지 모두 세 층을 올라가는데 12초가 걸린 것이므로 한 층을 올라가는데 걸린 시간은 4초입니다.

6 여러 가지 방법으로 해결하기

그림 그려 해결하기

두발자전거와 세발자전거가 모두 5대, 바퀴가 13개일 때, 그림을 그려 두발자전거와 세발자전거가 각각 몇 대씩 있는지 구할 수 있습니다.

1. 자전거의 수만큼 동그라미를 그립니다.
2. 모두 두발자전거라고 생각하여 동그라미에 모두 바퀴를 2개씩 그립니다.
3. 바퀴가 모두 13개가 되도록 동그라미에 바퀴를 1개씩 더 그립니다.

두발자전거: 2대
세발자전거: 3대

1 농장에 오리와 강아지 8마리가 있습니다. 다리가 모두 22개일 때, 오리와 강아지는 각각 몇 마리입니까?

오리: 5 마리, 강아지: 3 마리

2. 귀뚜라미의 다리는 6개, 거미의 다리는 8개입니다. 귀뚜라미와 거미가 모두 6마리이고 다리는 40개일 때, 귀뚜라미와 거미는 각각 몇 마리일까요?

귀뚜라미: 4 마리, 거미: 2 마리

3. 친구 4명이 가위바위보를 합니다. 바위를 낸 사람은 없고, 친구들이 낸 손가락의 수를 모두 더하면 14개입니다. 가위를 낸 사람은 모두 몇 명입니까? 2명

표 그려 해결하기

오른쪽 다트판에 다트 6개를 던져 10점을 얻었을 때, 표를 그려 2점 과녁과 1점 과녁을 각각 몇 개씩 맞혔는지 구할 수 있습니다.

1점짜리 과녁	6	5	4	3	2	1	0
2점짜리 과녁	0	1	2	3	4	5	6
점수	6	7	8	9	10	11	12

1점짜리 과녁: 2번, 2점짜리 과녁: 4번

1. 어느 퀴즈 대회의 기본 점수는 10점이고, 맞히면 3점을 받고 틀리면 1점을 감점합니다. 민서가 이 대회에서 8 문제를 풀고 14점을 받았습니다. 민서가 맞힌 문제는 모두 몇 개입니까? 3개

맞힌 문제	8	7	6	5	4	3	2	1	0
틀린 문제	0	1	2	3	4	5	6	7	8
점수	34	30	26	22	18	14	10	6	2

2. 지호는 형과 게임을 하여 이기면 구슬 4개, 지면 구슬 1개를 받습니다. 모두 9번 게임하여 지호가 구슬 30개를 받았다면 지호는 모두 몇 번 이긴 것입니까? 7번

---

1 1) 8마리가 모두 강아지라고 가정하면 다리는 모두 $8 \times 4 = 32$(개)입니다.

2) 실제 다리는 22개이므로 $32 - 22 = 10$(개)만큼 차이가 납니다.

3) 강아지를 오리로 바꾸어 생각하면 다리가 2개씩 줄어듭니다.

4) 10개만큼 줄어들어야 하므로 오리는 5마리, 거미는 $8 - 5 = 3$(마리)입니다.

3 1) 바위를 낸 사람이 없으므로 가위(손가락 2개) 또는 보(손가락 5개)를 낸 것입니다.

2) 4명 모두 보를 냈다고 생각하면 손가락은 모두 $5 \times 4 = 20$(개)입니다.

3) 실제 손가락의 개수는 14개이므로 $20 - 14 = 6$(개)만큼 차이가 납니다.

4) 보를 가위로 바꾸어 생각하면 손가락이 3개씩 줄어듭니다.

5) 6개만큼 줄어야 하므로 가위는 2명입니다.

1 1) 맞힌 문제와 틀린 문제의 수가 모두 8개가 되도록 표의 빈칸을 채웁니다.

2) 맞힌 문제의 개수가 1개씩 줄어들수록(늘어날수록) 점수의 합이 4점씩 작아(커)지는 것을 이용하면 좀 더 빠르게 표를 채울 수 있습니다.

3) 점수의 합이 14점이 되는 줄을 찾으면 3 문제를 맞힌 것입니다.

2 1) 9번을 모두 지호가 이겼다고 생각하면 지호가 받는 구슬은 모두 $9 \times 4 = 36$(개)입니다.

2) 실제 구슬의 수는 30개이므로 $36 - 30 = 6$(개)만큼 차이가 납니다.

3) 이긴 게임을 진 게임으로 바꾸어 생각하면 구슬이 3개씩 줄어듭니다.

4) 6개만큼 줄어들어야 하므로 진 게임이 2번, 이긴 게임은 $9 - 2 = 7$(번)입니다.

7 재치있게 해결하기

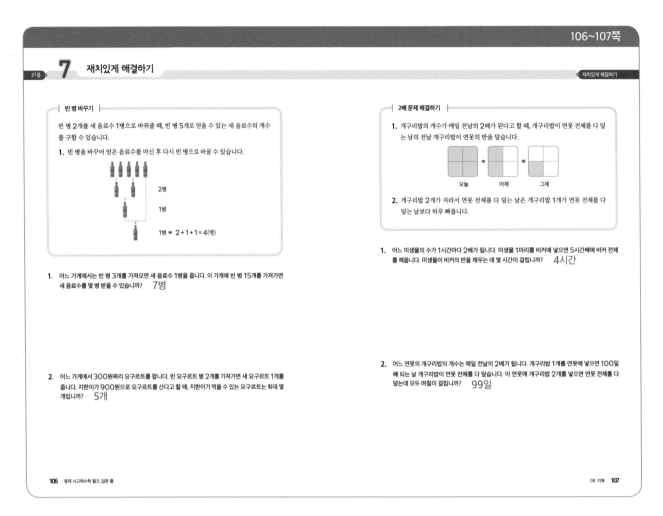

빈 병 바꾸기

빈 병 2개를 새 음료수 1병으로 바꿔줄 때, 빈 병 5개로 얻을 수 있는 새 음료수의 개수를 구할 수 있습니다.

1. 빈 병을 바꾸어 얻은 음료수를 마신 후 다시 빈 병으로 바꿀 수 있습니다.

2병

1병

1병 ➡ 2 + 1 + 1 = 4(병)

1. 어느 가게에서는 빈 병 3개를 가져오면 새 음료수 1병을 줍니다. 이 가게에 빈 병 15개를 가져가면 새 음료수를 몇 병 받을 수 있습니까? **7병**

2. 어느 가게에서 300원짜리 요구르트를 팝니다. 빈 요구르트 병 2개를 가져가면 새 요구르트 1개를 줍니다. 지한이가 900원으로 요구르트를 산다고 할 때, 지한이가 먹을 수 있는 요구르트는 최대 몇 개입니까? **5개**

2배 문제 해결하기

1. 개구리밥의 개수가 매일 전날의 2배가 된다고 할 때, 개구리밥이 연못 전체를 다 덮는 날의 전날 개구리밥이 연못의 반을 덮습니다.

오늘 · 어제 · 그제

2. 개구리밥 2개가 자라서 연못 전체를 다 덮는 날은 개구리밥 1개가 연못 전체를 다 덮는 날보다 하루 빠릅니다.

1. 어느 미생물의 수가 1시간마다 2배가 됩니다. 미생물 1마리를 비커에 넣으면 5시간째에 비커 전체를 채웁니다. 미생물이 비커의 반을 채우는 데 몇 시간이 걸립니까? **4시간**

2. 어느 연못의 개구리밥의 개수는 매일 전날의 2배가 됩니다. 개구리밥 1개를 연못에 넣으면 100일째 되는 날 개구리밥이 연못 전체를 다 덮습니다. 이 연못에 개구리밥 2개를 넣으면 연못 전체를 다 덮는데 모두 며칠이 걸립니까? **99일**

---

1 **1)** 빈 병 15개를 가져가면 빈 병 3개에 새 음료수 1병씩을 주므로 처음에 모두 5병을 받습니다.

2)

5병

1병

1병

새 음료수: 5 + 1 + 1 = 7(병)

2 900원으로 300원짜리 요구르트를 3개 구입합니다.

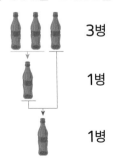

3병

1병

1병

마실 수 있는 요구르트: 3 + 1 + 1 = 5(개)

1 **1)** 미생물이 5시간째에 비커를 가득 채웁니다.

2) 비커의 반을 채우는데는 5시간의 한 시간 전인 4시간이 걸립니다.

2 **1)** 개구리밥의 개수가 1시간에 2배가 되므로 1시간째 2마리, 2시간째 4마리가 됩니다.

2) 따라서 개구리밥 2개를 넣으면 개구리밥 1개를 넣었을 때보다 1시간 빨리 연못 전체를 개구리밥으로 덮을 수 있습니다.

"

자신 위로 올라서
세상을 꽉 잡아라

"